JN247446

The stories of the Kosoado Woods

まよなかの魔女の秘密

岡田 淳

理論社

もくじ

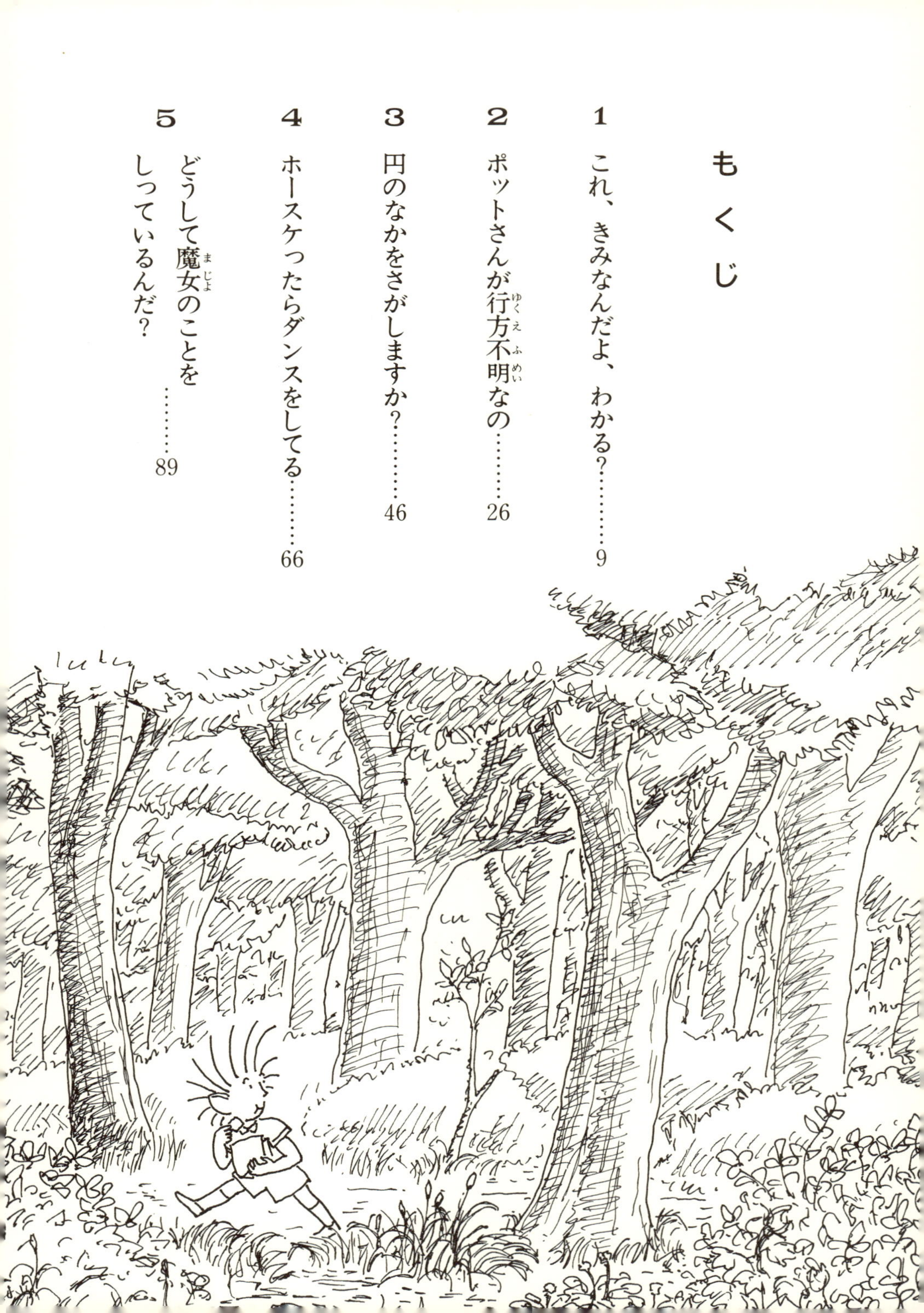

絵◎岡田 淳

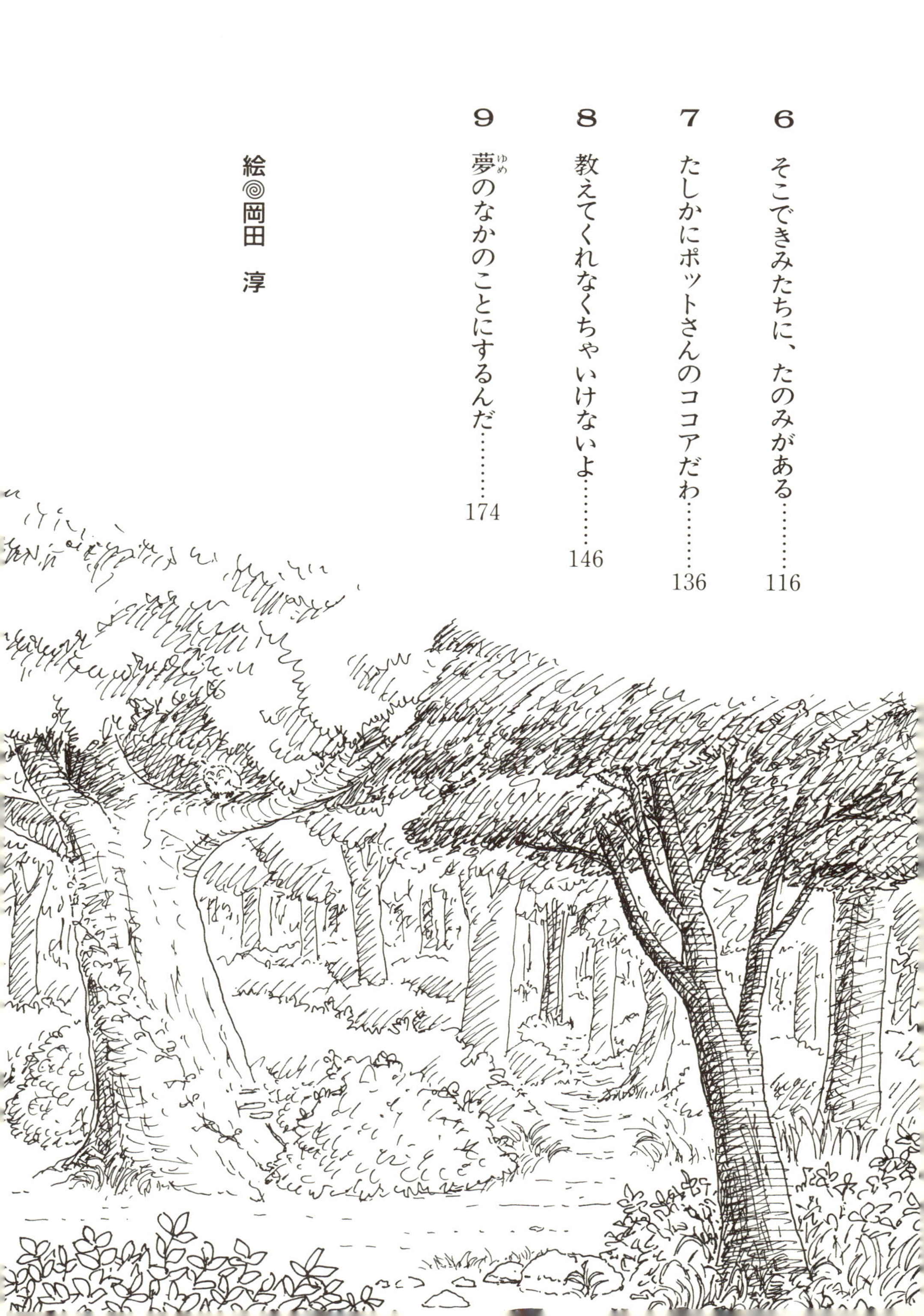

こそあどの森にすんでいるひとたち

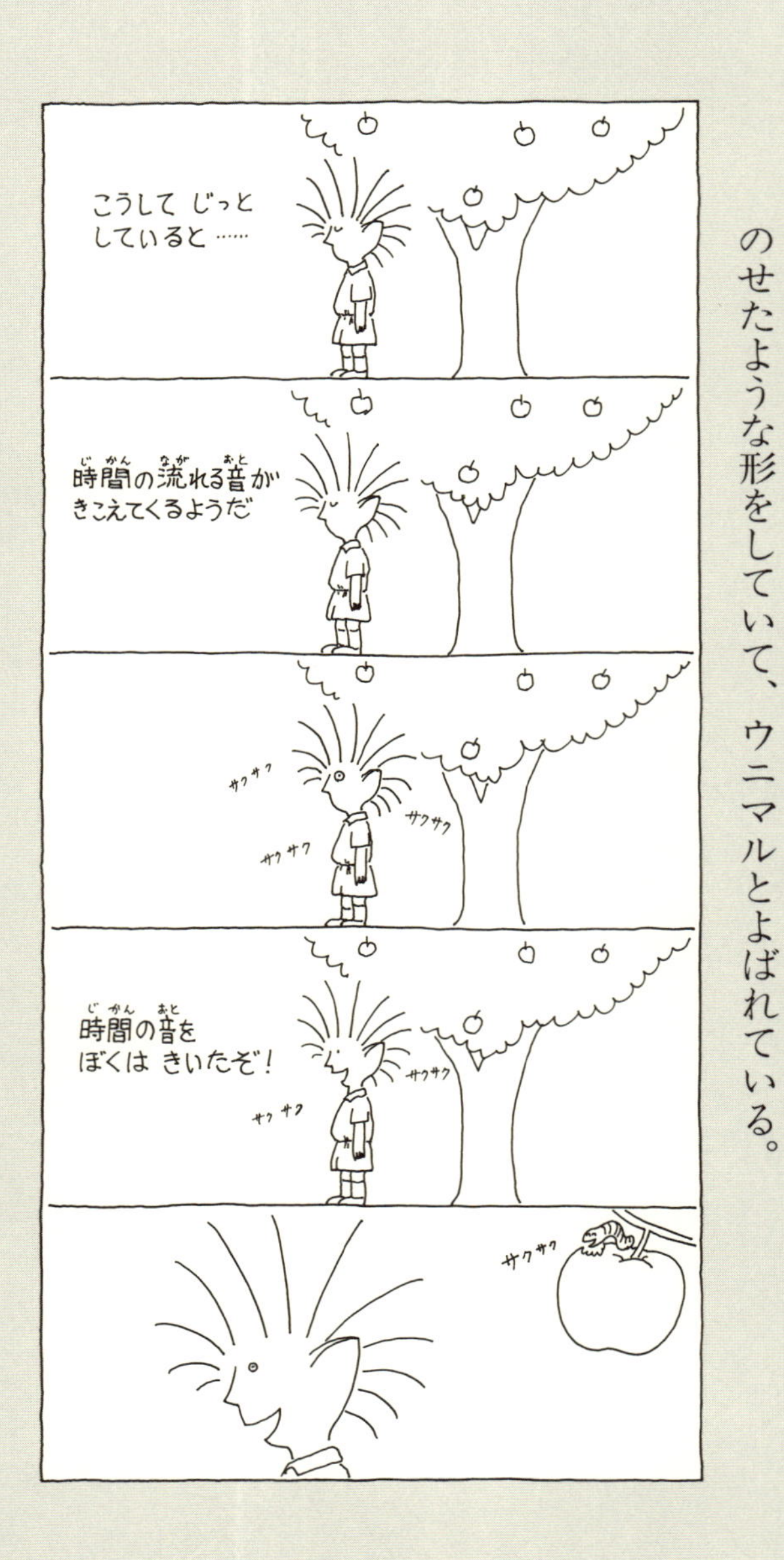

◆スキッパ

本を読んだり、化石をながめたりしているのが好き。博物学者のおばさん、バーバさんと暮らしているが、バーバさんはしょっちゅう旅にでるので、ひとりで生活することが多い。家は、ずんぐりした船にとげのあるウニをのせたような形をしていて、ウニマルとよばれている。

●●

◆ふたご――

生活はほとんど遊びばかりのように見える。湖の島にふたりですんでいる。家の形は巨大な巻き貝を思わせる。

◆ポットさんとトマトさん

夫婦。

ふたりはとてもなかがいい。

そそぎ口を上にして半分地面にうずめた湯わかしの形の家にすんでいる。

◆トワイエさん

作家。考えながらしゃべる。
大きな木の上の屋根裏部屋にすんでいる。
ペンとメモ帳をいつも持っているが、ひとのみている前でそれを使ったことはない。

◆ギーコさんとスミレさん

ギーコさんは大工さん。あまりしゃべらない。

スミレさんはギーコさんのお姉さん。

詩集などを読み、薬草を集め、静かに暮らしているが、しゃべるとどこか皮肉っぽいことをいっている。

1　これ、きみなんだよ、わかる？

昨夜のあらしには、おどろかされました。

まよなか、すさまじい音にスキッパーはたたきおこされました。なにごとがおこったのかとからだをかたくしていると、ウニマルをゆすって風がとおりすぎました。どこかでひきちぎられてきた木の枝やなにかが、外の壁に音をたててぶつかりました。スキッパーはひとりでした。バーバさんは、北の島へ化石掘りの旅に出かけているのです。

ベッドの上におきあがり、胸をどきどきさせていると、とつぜん寝室が光と影に浮かびあがり、すごい雷の音があとにつづきました。さっきの音も、きっと雷だったのです。雷のあとは、二度、三度とたつまきでもとおりすぎるような風が、ウニマルをおそいました。雷と風は、次々にやってきました。寝室の天井には丸い天窓があるので、いなびかりのたびに部屋のようすがくっきりと浮かびあがりました。

はじめのうちは不安な気分で次の光をまちかまえていたのですが、そのうちに、そういえばこの六月という季節には、こんな夜が二晩三晩つづくことがこれまでにもあったっけと思い出しました。思い出すと不安な気分がうすれました。そして、タオルケットをかぶって、眠ってしまいました。

朝になると、昨夜のあらしは夢だったのかと思いました。いつもどおりの静かな朝です。スキッパーは森のようすをみにいこうと思いました。そこで、お茶だけ飲むと、紙ぶくろにクラッカーとチーズをいれて、散歩にでかけました。朝ごはんは、森を歩きながら食べることにしたのです。

六月の朝の森は、みょうにすがすがしい空気に満ちていました。たくさんの木の葉や枝がちらばっているだろうと思っていたのに、そんなものは遠くまで吹きとばされてしまったのか、いつもとかわりがありません。風に折られた枝も、雷に打たれた木もみつからず、それどころか、雨などふらなかったはずなのに、森の緑が洗われたようにさわやかです。

クラッカーとチーズをかじりながら、スキッパーは、はぐらかされたような気分で森のなかを歩きました。

十分ぐらい歩いたでしょうか、一本の大きな木の枝に、めずらしい鳥をみつけました。

はじめはこげ茶色のぼろ布のかたまりが、枝にのっかっているのかと思いました。けれどすぐにそいつがスキッパーに気づいて目をあけたので、生き物だとわかりました。からだのわりに大きな目は、黒いふちどりのせいかびっくりした表情にみえます。その丸い目をスキッパーにむけてぱちぱちとしばたたかせると、枝の上にうずくまっていた足をのばしてたちあがり、一声鳴きました。

「ホホッホウ」

それでフクロウだとわかりました。そういえば、目のならびかたも、くちばしの形も、フクロウです。鳴き声をあげた鳥は、まるで自分の鳴き声におどろいたように枝の上でよろめき、あやうく体勢をたてなおすと、右に左に首をかしげて、きょろきょろしました。スキッパーは思わず笑ってしまいました。こっけいなパントマイムをみているような気がしたのです。

フクロウはおちつきなく、細い足をかがめたりのばしたりしては、首をかしげています。それがまた、なにか考えているようでおかしいのです。

まてよ。スキッパーはくすくす笑うのをやめて、首をひねりました。フクロウのひなかと思ったのですが、それにしては足が細長い……。どこかでこの鳥の絵をみたことがあるぞと思いました。バーバさんは博物学者ですから、ウニマルにはたくさんの本があります。そしてスキッパーは出歩くよりもひとりで本を読むほうが好きでしたから、鳥の本もいっぱい読んでいました。

まゆをよせて記憶をさぐっていたスキッパーは、とつぜんはっきりとそれがのっていた本のページを思い出しました。

「ジバシリフクロウ！」

思わず出したスキッパーの声がきこえたのか、まるで返事をするようにフクロウが鳴きました。

「ホッホウ」

鳴いたあとでまたよろめきました。

まちがいありません。そっくりこのとおりの絵がのっていたのです。けれどたしか、この鳥はこのあたりにはいないはずです。砂漠と森が接するところにすむと書いてあったように思います。あ、そうか。スキッパーはひとりうなずきました。きっと昨夜のあらしで遠くから飛ばされてきたのにちがいありません。

だんだんはっきりと思い出してきました。飛ぶことよりも走るほうがとくいで、穴を掘るのもじょうずだったはずです。巣はたいていい地中の穴につくり、昼間よりは夕方から夜にかけて行動することが多く、虫や小動物から果実まで、ほとんどなんでも食べ………。

そこまで思い出して、スキッパーは手にクラッカーとチーズのはいったふくろをもっていることに気づきました。食べるかな、と思いました。もしかすると、あらしで飛ばされて、つかれておなかがすいているかもしれません。それでよろよろしているのかもしれないのです。

スキッパーは、フクロウをおどろかせないように小さな声で話しかけてみました。

「ね、きみ、おなかすいてない？」

「ホウ、ホウ」

フクロウはがくがくとうなずくように頭をさげ、からだをゆらしました。まるで、そのとおりなんだよ、たのむからなにかおくれよといっているみたいです。こちらにむけた大きな目の上の毛がちょうどまゆ毛のようで、ひとのよさそうな表情にみえ、笑えてきます。

大きな音をたてないように、そっと紙ぶくろをあけ、クラッカーを一枚とりだしました。そして、割った半分を食べてみせ、のこりの半分をフクロウのとまっている枝の下あたりにほうってやりました。

そのとたん、フクロウは翼をひろげて枝から飛びおりました。あわてたせいか疲れのせいか、着地に失敗して、あごを地面にうちつけました。

ひとつひとつ笑わせてくれるのです。

鳥はよたよたとクラッカーに近づくと、半分のクラッカーを丸ごとのみこもうとし、大きすぎたようで、すぐにはきだし、もどかしそうにはしからこまかくくだいては、食べていきました。

スキッパーは、こんどは一枚のクラッカーを小さく割ってほうってやりました。投げられるクラッカーをがつがつと食べていくフクロウをみて、もしかすると人間に飼われていたことがあるのかなと思いました。そう思ったのと同時に、このジバシリフクロウをつかまえて飼いたい、という気持ちがわきおこりました。

そうだ。つかまえよう。めずらしい鳥だから、バーバさんだってよろこぶぞ。そう思うと、もう胸がどきどきしてきました。走るのがとくいなのだから、おどろかせて逃がしてしまわないようにしなければなりません。安心させて近くまでおびきよせるのです。

「ね、きみ、クラッカー、好きみたいだね。こっちは、チーズだよ。ほら、食べられる」

スキッパーは、まるでつかまえる気などないようにやさしい声でいって、すこし食べてみせました。フクロウはまん丸の目でスキッパーをみあげて、からだを上下にゆすっています。おくれ、おくれ、といっているみたいです。

チーズをひとかけら投げてやりました。さりげなく、さっきのクラッカーよりはすこしだけスキッパーの近くに、です。フクロウはひょこひょことチーズのところにやってきて、ぱくりと食べました。そして、もっと、という顔で、まだ投げもしないのに、二、三歩、こちらにくるではありませんか。スキッパーは笑いをかみころしながら、もう少し近くに、もうひとかけら投げてやりました。

そしてあと、クラッカーを二枚、チーズをふたかけら食べさせると、フクロウはあと二、三歩でスキッパーの足もとというところまでやってきていました。そのあいだにスキッパーが考えていたのは、どうすればつつかれずにフクロウをつかまえることができるかということです。

スキッパーはそっとしゃがむと、紙ぶくろの口をひろげて、さあ、どうぞと、なかにはいっているのこりのクラッカーをフクロウにみせるようにしました。

ほんと？　全部くれるの？　という感じでフクロウがあどけなくスキッパーをみあげたとき、スキッパーはほんのすこしうしろめたさを感じました。けれど、フクロウがひょこひょこと前に出てきたときにはもう、叫びだすか笑いだすかしてしまいそうなほど、胸がどきどきしていました。

フクロウが紙ぶくろのなかをのぞきこみました。その瞬間、スキッパーはクラッカーがはいったままのふくろをフクロウにかぶせました。上半身がすっぽりとふくろのなかです。そのままふくろごと、からだを両手でだきかかえました。

「ホホッホ、ホホッホホッ」

翼の上からつかまえられて、フクロウは足で空をけり、もがきながら鳴き叫びました。スキッパーのほうはおどりあがっていました。やった！　やった、やった、やった！　ぼくはジバシリフクロウをつかまえたぞ！

そして、フクロウにいいきかせました。

「ごめんね、ごめんね、静かにしてよ。ぼく、きみを飼いたいんだから。うちに帰ったら自由にしてあげるから。ね、ごめんね」

　ことばはあやまっているのですが、顔と声は笑っています。

　スキッパーは走るようにウニマルにむかいました。ずっとフクロウに話しかけていました。

「静かにしててね、すぐに家につくからね。きっときみはぼくの家が気にいるよ。そうだ。名前をつけてあげなくちゃね。ホースケ。どう？　いい名だろ？　ね、ホースケ。チーズやクラッカーよりも、もっとおいしいものもあげるよ。ホースケフクロウは紙ぶくろのなか。紙ブクロウだね。ホホッホウ」

　しまいには歌になりました。

「ホッホッホウ　紙ぶくろ
　ホッホッホウ　紙ブクロウ

ぼくのフクロウは　ホッホッホウ
紙ぶくろのなか　ホッホッホウ」

ウニマルにもどって最初にしたことは、鳥をだいたまま、地下の倉庫から、目のあらいじょうぶなかごをとってくることでした。そしてそれをテーブルの上でふせるとすこしかたむけて、下のすきまからフクロウの下半身をかごにいれ、紙ぶくろをおさえていた手をゆるめました。

ずっとおさえつづけていたせいか、ずいぶん静かになっていたので、だいじょうぶかなと心配していたのですが、フクロウはあとずさりして、ふくろから出、かごのなかでたちました。だいじょうぶのようです。だいじょうぶのようですが、顔はクラッカーの粉だらけです。その顔でスキッパーをみて目を細めると、低い声で鳴きました。

「ホホッホウ」

まるで、よくもやってくれたな、とおこっているようでした。スキッパーは笑いながら、話しかけました。

「ね、ホースケ」

「ホッ」

さっきつけたばかりの名をよぶと、フクロウは頭の毛をさかだてて首をすくめるようにしました。おもしろい返事のしかたです。毛をさかだてたひょうしにクラッカーの粉がぱらぱらと落ちました。それで自分が粉まみれになっていることに気づいたのでしょうか、さかんに羽をさかだてて、翼をひろげてからだをゆすり、粉を落としています。

「いまにすてきなかごをつくってあげるからね」

スキッパーがそういうと、ホースケはぴたっと動きをとめて、まん丸の目でスキッパーをみました。

「いや、もちろん、かごなんてなくてもさ、きみがどこかへいってしまわないってことがわかれば、ここで自由にさせてあげるよ」

それをきいたとたんにホースケは、頭をくっくっとさげて「ホウ、ホウ」と鳴きました。

「ははっ、いまの、逃げないからそうさせてっていってるみたいにみえたよ」

スキッパーは書斎にいって、ジバシリフクロウがのっている本をもってきました。そのページをさがすと、さっき思い出したとおりのことが書いてありました。

「ほら」

本をかごの前にたててホースケにみせてやりました。

「ね、ここに出てるだろ。ジバシリフクロウ、きみのことだよ」

「ホホウ」ほんとうにほほうと感心したみたいな返事です。

「これ、きみなんだよ。わかる?」

ホースケは目を細めて首をすくめています。スキッパーはとつぜん思いついて、壁にかかっている鏡をとってきました。そして本の横にたてて、ホースケが自分の

ジバシリフクロウ

姿をみられるようにしてやりました。

ホースケは鏡をみて、ぎょっとしました。仲間がいると思ったのかもしれません。つぎに自分のまわりをみまわしました。そしてもういちど鏡をみました。丸い目をぱちぱちとさせました。じっと鏡をみつめたまま、ゆっくりと首をかしげ、足をまげてからだを上下させました。翼をひろげてみました。からだを横むきにしてみました。最後にむこうむきになって顔だけうしろにむけてからだをひょこひょこ上下させたときには、スキッパーはたまらず声をあげて笑ってしまいました。

ホースケはスキッパーをみて、力なく鳴きました。

「ホホッホウ」

スキッパーは鏡と本をテーブルの上におくと、いすにすわってほおづえをつき、じっと鳥をみました。鳥もじっとスキッパーをみています。すこし首をかしげて、考えこんでいるようにみえます。それがまた、なまいきそうで笑ってしまうのです。

まだおなかがすいているかもしれない、とスキッパーは思いました。そこで新しいクラッカーとチーズをかごのなかにいれてやりました。のどもかわいているかもしれないと、皿に水もいれてやりました。ホースケはすこしだけクラッカーとチーズをかじり、水をのみました。そしてまた考えこんだようすで、スキッパーをみつめました。

「ホースケ」

名前をよんでみたくなってよぶと、ホースケは一瞬頭の毛をさかだてたあと、小さな声で鳴きました。

「ホッホ」

そのとき、ウニマルの外から人間の声がきこえました。

「スキッパー、いる？　スキッパー」

2　ポットさんが行方不明なの

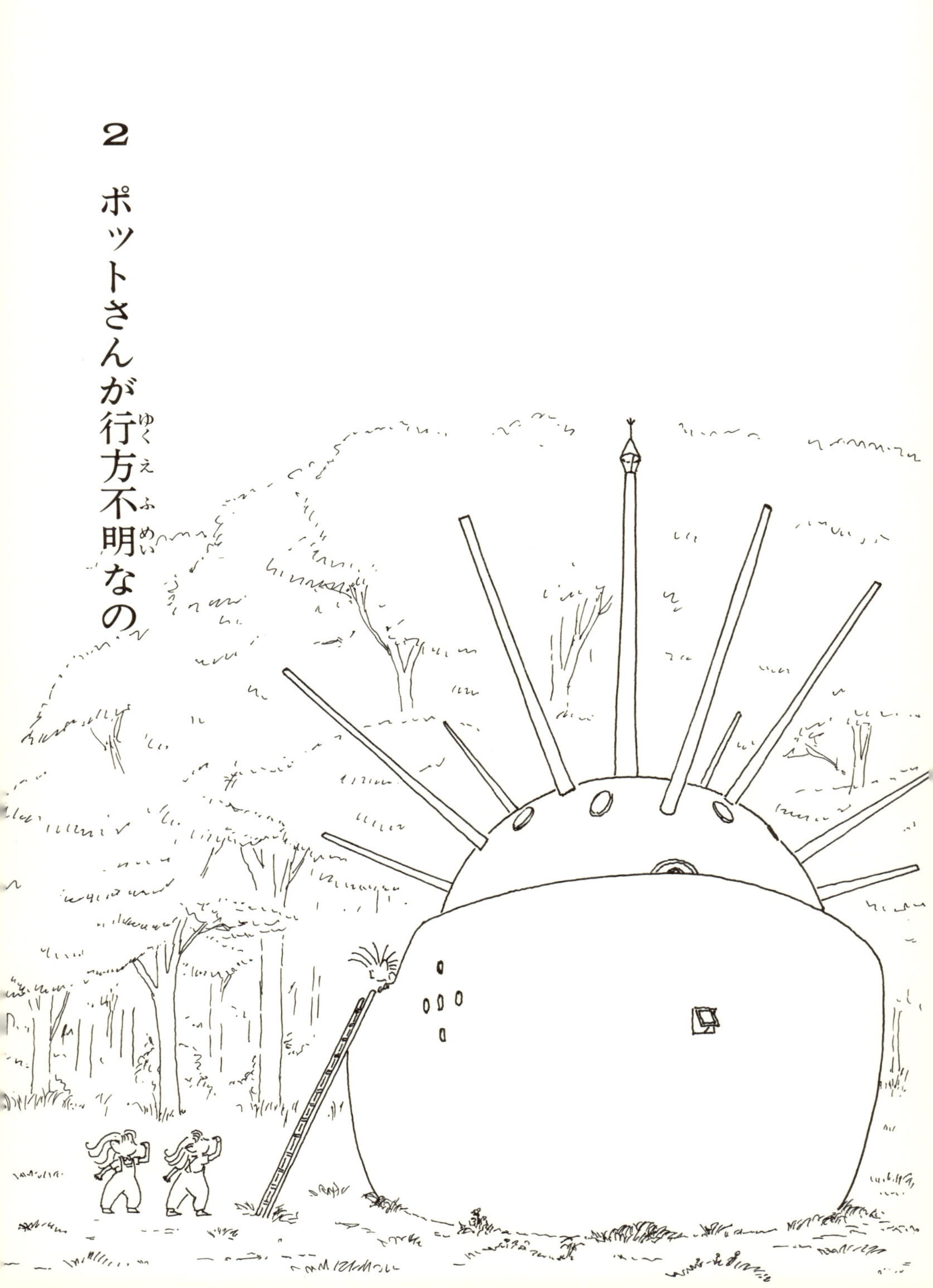

ウニマルの甲板に出てみると、外にふたごの女の子がたっていました。船べりから顔を出したスキッパーに、ひとりがいいました。

「さきにいっておくけど、わたしのこと、シナモンってよんでね」

つづいてもうひとりがいいました。

「わたしのことは、ミルクってよんでね」

スキッパーは口をぽかんとあけました。ついこのあいだまではレモンとアップルだったのです。

「わたしもうレモンにあきたの」

「わたしもうアップルにあきたの」

それでどうやらレモンがシナモンに、アップルがミルクになったらしいということがわかりました。ふたりは名前を変えたことをいいにきたのかと思ったら、そうではありませんでした。

「湯わかしの家に集まることになったの」

「ポットさんが行方不明。それでみんなでさがしにいこうってことになったの」

そりゃたいへんだ、とスキッパーは思いました。部屋にもどると、大いそぎで戸締りをしました。なにかのはずみでフクロウが逃げてしまわないためです。それから、船べりにかかっているはしごをおり、ふたごといっしょに湯わかしの家にいそぎました。

ウニマルから湯わかしの家までは十分ぐらいですが、その十分ぐらいをシナモンとミルクはしゃべりつづけました。

「行方不明って、なったことある？」

スキッパーの右を歩いているシナモンかミルクかのどちらかがいいました。

「わたし、ある」

左を歩いているシナモンかミルクのどちらかが、スキッパーがこたえる前にいいました。

「うそ」

「うそじゃない」

右と左からきこえる声は、同じにきこえます。

「森でかくれんぼをしていたときに、わたしのことどこにいるのかわからなくなった。あれって、行方不明」

「あんなの、行方不明っていわない」

「じゃあ、どんなのが行方不明？」

「どこにいるのかわからなくって、なにをしているのかわからなくって、生きているのか死んでいるのかもわからないのが、行方不明」

するとポットさんは、どこにいるのかわからなくて、なにをしているのかわからなくて、生きているのか死んでいるのかもわからないんだ、とスキッパーはまゆをよせました。行方不明ときいたときにもたいへんだと思ったのですが、こうして説明されるといよいよたいへんだという気がしました。

「わたし、いちど行方不明って、なってみたい」

「わたしも、なってみたい」

「だめ」

「どうしてだめ？」

「行方不明には、さがす役目のひとが必要」

そうか、行方不明にはさがすひとがいるんだ。そしていまからその役目をしにいくんだ。スキッパーはふたりのまんなかで、ひとりうなずきました。

「じゃあ、こうたいで行方不明になる」

「わかった。こうたいで行方不明になる」

それじゃ、かくれんぼじゃないかと、スキッパーは思いました。そして、シナモンとミルクって、ポットさんが行方不明になったことを、あまりたいへんなことだとは考えていないのかなと、思いました。そんなおしゃべりをするよりも、ポットさんがいつ、どういうわけで行方不明になったのかを教えてもらいたいものです。けれどそれをいいだせないうちに、湯わかしの家についてしまいました。

湯わかしの家は、ドアをあけるとすぐに広間で、長いテーブルのむこうのすみに四人のひとがかたまってすわり、低い声で話していました。

「や、やあ、その、よくきてくれました」

たちあがって三人をむかえてくれたのはトワイエさんです。トワイエさんのこちらがわにすわっていたギーコさんとスミレさんは、はいってきた三人をちらっとみて、目だけであいさつをしました。トワイエさんのむかいがわには、トマトさんがすわっていました。トマトさんは三人に口のはしをすこしだけ笑う形にしてみせました。

四人のおとなのひとをみて、これはほんとうにたいへんなことになっているんだとスキッパーは思いました。とりわけトマトさんはいままでみたことがないほどしょんぼりしています。

トマトさんといえばいつだって元気とおしゃべりのかたまりのようなひとでした。スキッパーがこの家にやってくるとだきかかえるようにしていすにすわらせてくれ、お茶を出し、クッキーをすすめ、しゃべりつづけながら、ときどき思い出したようにポットさんに「キスして」なんていうのです。すると背のひくいポットさんは、どんなときでもいすかふみ台をさがしてきてトマトさんにキスをするのです。そのポットさんがいなくなってしまったのだから元気がないのはあたりまえなのですが、ふだんあまりに陽気なものですから、よけいにしょんぼりしてみえました。

トワイエさんがすすめる席に、スキッパーとふたごがすわりました。トマトさんのとなりにスキッパー、そしてふたごがならびます。

いよいよ大事な会議のはじまりです。

「では、その、もう、きいておられると、ああ、思いますが、もういちど、きのうからけさにかけてのことを、お話しておきます」

トワイエさんが司会役のようでした。

「きのうの夜、ポットさんは、ぼくの家で、ぼくといっしょに、その、ああ、お酒をですね、んん、そんなことはしょっちゅうあるわけじゃないんですけど、ええ、しりあいの出版社のひとがくださったお酒なんですけど、んん、のんでいた、というわけです」

トワイエさんは作家なのです。

「それがその、じつにいいお酒で、口あたりがよくって、つい、のみすぎてしまいまして、んん、気がつけば十二時をまわっていて、ええ、ふたりで、一本のお酒を全部のんでいた、というわけなんです。で、ポットさんは帰るといって、出ていきました。それきり、なんです。そのあと、ポットさんがどこへいってしまったのか、んん、その、わからない、というわけなんです」

トワイエさんは、ポットさんが行方不明になったことの責任を感じているようでした。すこし沈黙があって、トマトさんがトワイエさんよりもしずんだ声で話しはじめました。

「わたし、ポットさんの帰りがおそいので、きっとトワイエさんのおうちにとめてもらうことになったんだと思ったの。それが朝になってももどってこないじゃない。

ポットさんは毎朝早く花と野菜に水をやっているから、きっとその時間には帰ってくるって思っていたのにね。で、帰ってこないから、トワイエさんのおうちでどうかしちゃったのかなって思ってむかえにいったの。そしたら夜おそくに帰ったはずだっていうじゃないの。もうわたし、心配で心配で……」

トマトさんがとても弱々しく話すので、となりにすわっているスキッパーは、顔をみていられず、テーブルの下のトマトさんの手ばかりみていました。

「と、まあ、その、こういったわけなんです。それで、ギーコさんとスミレさんにしらせ、湖のふたご、ええ、ミルクとシナモンでしたっけ、にしらせ、ふたりにスキッパーをよんでもらったわけです」

トワイエさんがめがねをおしあげながら、みんなをみわたしました。

「ポットさんは、お酒によっぱらって、道をまちがえた」

「そう、よっぱらうとわけがわかんなくなる」

ふたごがつぶやいて、トワイエさんがうなずきました。スキッパーは、ちらっとふたごをみました。そして、ふたごがいったことになるほどなあと思ったあと、だれでも発言してよかったんだと思いました。

「そう、そうです。その可能性はある。ただ、ぼくの家を出たあと、んん、ポットさんは、湯わかしの家のほうへむかって、その、歩いていったのは、まちがいないんです。すこしふらついては、ええ、いましたがね。その、戸口でみおくっていましたから、橋をわたるところを、みたんです」

トワイエさんの家は木の上にあって、幹のまわりのらせん階段でのぼりおりするようになっています。その階段のいちばん上でポットさんをみおくるトワイエさんの姿が目に浮かぶように、スキッパーには思えました。というのは、前にスキッパーがトワイエさんの家にいったときに、そういうふうにみおくってもらったからです。もちろんそれは昼間でしたけれど。

「夜なのに、よく橋をわたるところがみえたわね」

スミレさんがいいました。ほんとにそうだ、とスキッパーは思いました。

「ええ、そのときは、すごく晴(は)れていて、その、満月(まんげつ)だったんです。ぼくが、ポットさんにランタンを貸(か)そうと、んん、いったんですが、いいってことわったくらい、その、明るかったんです」

「じゃあ、あらしになったのは、そのあとね」

スミレさんは小さな声でいいました。トワイエさんはちらっとトマトさんをみてから、めがねの奥(おく)の目を大きくしてうなずきました。

「そ、そうです。すごい雷(かみなり)と風でした。それも、とつぜんに、でしたね。ええ。ぼ、ぼくは、生きた心地(ここち)が、しませんでした」

「いなびかりがすごかった」

「光ったとき、湖(みずうみ)の波(なみ)が、ぱっぱってみえた」

ふたごもうなずきあいました。いそいでスキッパーもうなずきました。

「あらしになったのは、ポットさんが帰って、どのくらいたってから？」

スミレさんがたずねました。

「んん、そうですね。そう、ぼく、ポットさんはもう、家についたろうな、そう思ったんです、あの、最初の風が吹いたときに、ですね」

「ところが、家にもどってはいなかった。ポットさんはあのあらしのなか、ひとりで外にいたわけね」

スミレさんは口をすぼめて、なんということでしょうというふうに首をふりました。トマトさんがからだをかたくするのが、スキッパーにはわかりました。

「あらしのせいで、道をまちがえた」

「あらしのなかで、なにかをみにいこうとした」

ふたごが思いつきを口にしました。よく思いつけるなあと感心しながら、そのことばにとなりのトマトさんがはらはらするのを、スキッパーは感じました。

「あとのはちがうと、んん、思いますね」トワイエさんが首をふりました。「その、あらしになったときには、もう森は、その、まっ暗で、なにもみえませんでしたからね。ええ、月は雲にかくれていました」

「でも、いなびかりがある」

「光ったとき、みえる」

スミレさんは、ふたごの意見を無視していいました。

「するとポットさんは、くらやみのなかであらしにあった」

「そういうことに、ええ、なります」

トワイエさんがうなずくと、またふたごが発言しました。

「でも、朝にはあらしがおさまってた」

「朝には明るくなってる」

そのとおりです。もしもあらしをどこかでさけていたとしても、朝になれば、もどってこれるはずなのに、もどってこないのです。

「そうです」トワイエさんはみんなをみまわしました。「つまり、その、ポットさんは、もどってこれない、という状態になった、と、そう、考えられます」

「どこかに落ちている」

「なにかの下じきになっている」

「けがをしている」

「病気になっている」

「気を失っている」

「なにもかも忘れてしまった」

　またふたごが思いついたことを、次々に口にして、そのたびにトマトさんは息をのみました。

「ことばに気をおつけ！」

　スミレさんがふたごをきっとにらみました。それでふたごは、もうひとついちばんひどい場合を思いついていたらしいのですが、いうのはやめました。スミレさんは顔をしかめてつぶやきました。

「このふたりをよぶことに、あたしは反対したはずよ」

「いや、あの、ええ……、そこで、ですね」

トワイエさんは気をとりなおすようにいって、いすの横にたてかけてあった巻いた紙をとりだし、テーブルの上にひろげました。

「ミルクとシナモンが、ええ、スキッパーをよびにいっているあいだに、その、大いそぎでかいてきたんです」

なんだろう、とスキッパーはのぞきこみました。それは、こそあどの森のこのあたりの地図でした。ウニマル、湯わかしの家、トワイエさんの木の上の家、ギーコさんとスミレさんのガラスびんの家、そして湖のふたごの家があります。スキッパーのしっているところばかりでしたが、このように地図でみるのは、はじめてのことでした。ふうん、なるほど、こうなっているんだ、とスキッパーは感心しました。それをかいたトワイエさんにも感心しました。テーブルの上に地図がひろげられると、いよいよ会議をしている感じになりました。

「ポットさんは、ここから、こう、家に帰るはずでした」トワイエさんは、木の上の家から湯わかしの家までを指でなぞりました。「ところが、その、とちゅうで、お酒のせいかあらしのせいか、んん、わかりませんが、どこかへいってしまった、ね。で……」

トワイエさんは胸のポケットから青鉛筆をとりだして、それぞれの家を中心に五つの円をかきました。

「ぼくの考えでは、まず、とりあえず、それぞれの家を中心に、その、ええ、さがしてみる。つまり、それぞれが、いちばんよくしっているところを、ですね、まず、さがすのです。どうですか？」

みんなは、地図とおたがいの顔をみくらべました。ウニマルのまわりはスキッパーがさがすのです。スキッパーはつばをのみこみました。そうするのがいいようにみんなには思えたらしく、それぞれ、うなずきました。トワイエさんはつづけました。

「それで、その、みつからなければ、つぎは……」

そこまでいったときに、スミレさんがつぶやきました。

「その青い円のどこかに、ポットさんは、いるような気がするわ」

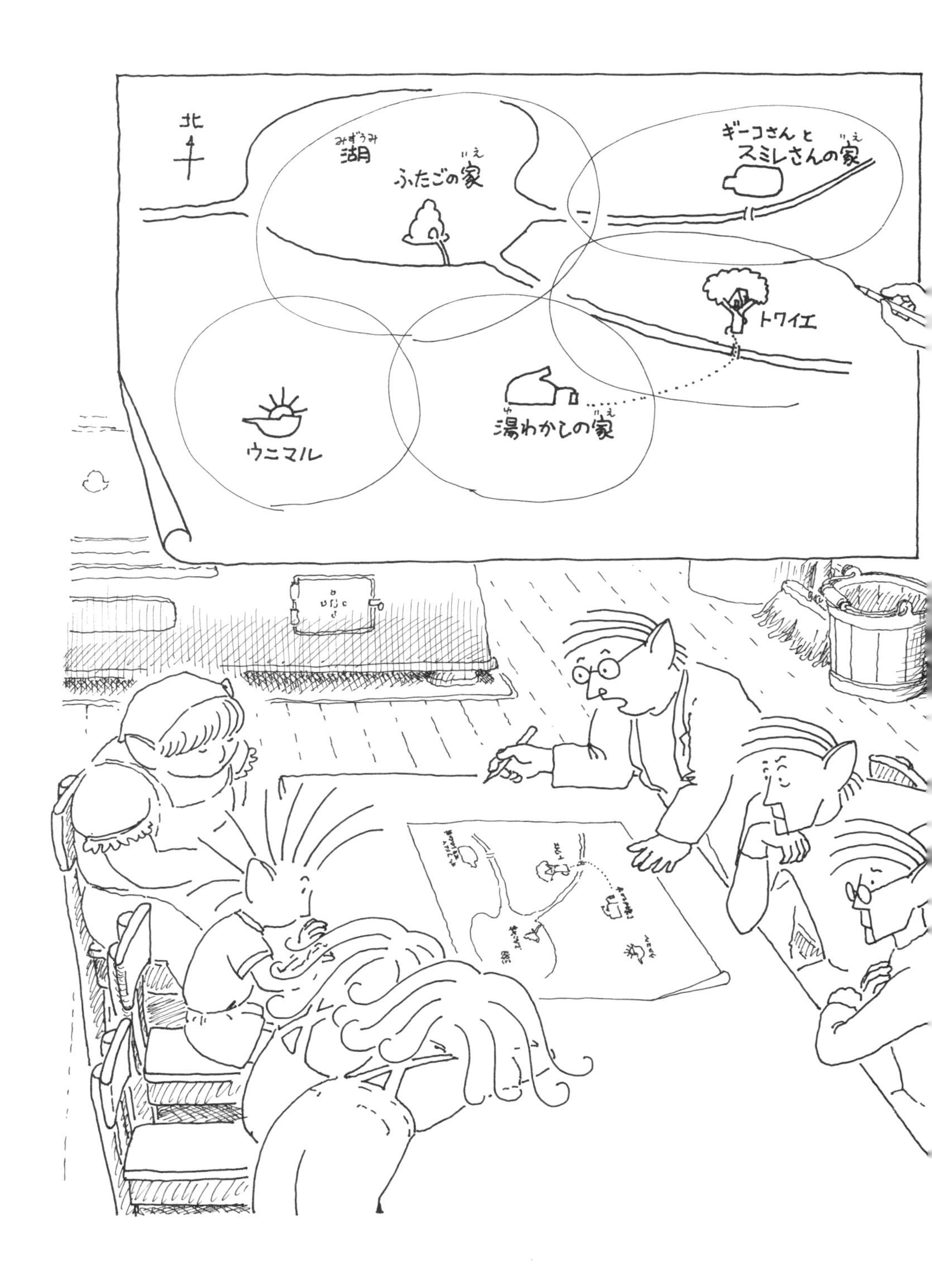

北
湖
ふたごの家
ギーコさんと
スミレさんの家
トワイエ
ウニマル
湯わかしの家

え？　とみんながスミレさんの顔をみました。みんなにみられて、スミレさんはすこしどぎまぎしました。

「いえ、その、そんな気がしただけ。いま、ふっと感じたの」

「元気づけようと思って」

「なぐさめようと思って」

スミレさんはふたごを、むっとした顔でみました。

「そんなのじゃないと思うね」

それまでずっと腕組みをしてだまっていたギーコさんがぽつりといいました。

「姉さんは、ときどき、わかるはずがないことがわかるんだ」

「それ、あの、ほんとうです」トワイエさんがトマトさんのほうをみて二度、それからみんなをみて三度うなずきました。「ぼくの、その、木の上の家が、たつまきで飛んでくる前にも、ああ、スミレさんは、んん、大きなプレゼントがぼくのところに、ええ、やってくるような気がすると、いってましたしね」

スキッパーとふたごは顔をみあわせました。それから、ふしぎなひとをみるみたいにスミレさんをみました。ときどき、わかるはずがないことがわかる、だなんて、そんな力をスミレさんがもっている、だなんて。

スミレさんは目をぱちぱちさせて、こまったような顔をしました。

「ちがうかもしれないわよ」

「でも、ぼくは、その、いまのスミレさんのことばで、ええ、元気づけられましたよ」トワイエさんがみんなをみて、たちあがりました。「まず、ポットさんを、みつけることです。ポットさんは、きのう、茶色っぽい上着で、黄色っぽいズボン、という、その、姿でした。参考になると、いいんですが」

それぞれの場所をさがして、みつからなくても夕方にはもういちど湯わかしの家に集まる、と決まりました。ほかのだれかがみつけていて、手助けがいるかもしれないからです。

出発の前にトマトさんは、お昼に食べてといって、全員にパンをくばりました。

3 円のなかをさがしますか?

ウニマルのまわり、という受けもちの場所にむかって、スキッパーは、いつもより大またで、胸をはって、くちびるをひきしめて歩きました。

すごい会議だった、と思いました。すごい会議だったけれど、ぼくはひとこともしゃべらなかったな、とも思いました。そう思ったときには、すこしうつむきました。ほんとうは、「ポットさんは強い風におされていきたくない方向へいってしまったんじゃないかな」といおうかと思っていたのです。でもそれを思いついたのは、そういう話がすんだあとだったのでいいだせませんでした。いまそれを思い出して、「もしもそうだとすると、風はどちらにむかって吹いていたのでしょう」という質問もつけくわえられたな、と思いました。それを発言すれば、きっとみんなは、なるほど、とスキッパーをみたことでしょう。でもいいや、とスキッパーは頭をあげました。会議ではしゃべらなかったけれど、きっとポットさんはぼくがみつけるぞ、そう思って、ひとりうなずきました。

どこからさがすか、スキッパーはもう決めていました。さっきトワイエさんが青鉛筆でウニマルのまわりをかこんだときに、ふっと思い浮かんだ場所があったのです。それは、前に雪の森で迷ったときにみつけた洞窟です。みつけたというよりも、その洞窟にいたふたりの笛吹きの笛の音にさそわれて、たどりついたというのがほんとうです。

スキッパーには、洞窟のなかでポットさんがたおれている姿まで思い浮かべることができました。眠りこんでいるか、足をくじいて動けないでいるか、どちらかです。だから、ふたとおりの姿を思い浮かべました。

洞窟へむかうとちゅうで、ウニマルの横を通るとき、あのジバシリフクロウのことがちらっと頭に浮かびました。けれど、いまは、それどころではありません。

洞窟はウニマルから二十分ほど歩いたところにつづいている崖にあります。雪の森で迷ったあとは、何度も散歩でそのあたりまで出かけたので、道はよくわかっています。早足で歩いたので、洞窟についたときには、息がはずんでいました。ところが、入り口のあたりには、ポットさんの姿はみえません。スキッパーの想像では、入り口をすこしはいったところにポットさんがたおれているはずだったのです。思う場所にポットさんがいなかったので、これはポットさんはここにはいないな、という気がしました。けれど、もしかすると奥のほうにいるかもしれません。

「ポットさん？」

よんだ声が岩穴のなかで、わあんとひびきました。返事はありません。きっといないなともういちど思いました。それでも、ゆっくり、暗さに目をならしながら、なかにはいっていきました。ポットさんはどこにもいません。古いたき火のあとがあるだけです。あれほど、ポットさんは洞窟にいるはずだと思っていたのに、いないとわかったときに、ほらね、やっぱりいない、と思ってしまいました。思いながら、心の底ではがっかりしていたのです。

洞窟から、まぶしい外に出て、そうだよ、そんなにかんたんにみつかるわけがないんだよ、と気をとりなおしました。

スキッパーはそこから、まず崖ぞいに歩いてみました。茶色っぽい色や黄色っぽい色は、森のなかにはいっぱいありました。ポットさんの服の色です。そのたびにどきっとしては、それが落ち葉や枯れ葉、土や岩の色であることがわかり、ためいきをつきました。

しばらく歩いて、崖からはなれ、森のなかをいままでとは逆のむきに歩きはじめました。

「ポットさーん」

ときどき名前をよんでみました。しげみのかげをのぞきこみ、太い幹のむこうがわにまわりこみ、茶色と黄色に気をくばります。それでいて、崖からそれほどはなれすぎないように進んでいきます。でないと、さがしていないところができてしまうからです。

もう一時間ほどもさがしたでしょうか。ようやくウニマルから洞窟につづく道に出ました。道といってもちゃんとした道路があるわけではなく、木やしげみの形で、しっている自分の通り道だということがわかるのです。そこでスキッパーはたいへんなことに気づきました。こんな調子でさがしていると、夕方までにまかされた場所の全部を歩けない、ということです。

たしかトワイエさんは、自分の家を中心にさがす、といいました。それに、トワイエさんのかいた地図には洞窟がかかれていませんでした。もしかすると、青鉛筆でかこまれたのとはちがうところをさがしていたのかもしれないのです。スキッパーは方針を変えることにしました。まずウニマルまでもどって、ウニマルを中心に円をえがくようにだんだん広くさがしていくことにしたのです。

そう考えたとき、ウニマルのすぐ横の林のなかに、薪などを入れておく小屋があったことを思い出しました。ポットさんはあの小屋に、あらしのなかで、たどりついたのではないでしょうか。

きっとそうだ、と思ったすぐあとで、いやちがうかもしれないけれど、と心のなかでつけたしました。きっとそうだと思ったりすると、いないときにがっかりすると思ったからです。

それでも小屋にいないことがわかったとき、スキッパーはやっぱりがっかりしました。

ウニマルのまわりを、円をえがくようにさがしはじめて三周ほどしたときに、ジバシリフクロウをつかまえたところに出ました。あのフクロウはいまごろどうしているだろうと思いました。おなかをすかせているなんてことはないだろうなと思って、自分のおなかがすいているのに気がつきました。空をみると、もうお昼をすぎているようです。

スキッパーはポケットから紙で包まれたパンをとりだして、食べながら歩くことにしました。かじりついてみると、パンのなかにはイチゴジャムがはさんでありました。バーバさんがいればときどきパンを焼いてくれるのですが、ひとりでくらすときにはホットケーキかクラッカーときめているので、ひさしぶりに食べるパンをおいしいと思いました。それにしても、おかしな日です。朝ごはんも昼ごはんも歩きながら食べることになってしまいました。

パンを食べ終わったあとも森のなかをさがしつづけました。といっても、午前中とちがって、目はしげみや木のかげをみながら歩いているのですが、しょっちゅう別のことを考えていました。へえ、こんなところにこんな花が咲いているんだとか、ここにこんな木があるぞとか、まわりのようすにも気をとられました。けれど、なんといっても、フクロウのことをいちばんたくさん考えました。

あのひょうきんな顔つき、ひょこひょことからだを上下させるこっけいな歩きかた、首をひねってなにかを考えているような姿、スキッパーは思い出すたびにほほえんでしまいます。せっかくめずらしいフクロウが自分のものになった日なのに、ポットさんが行方不明になってしまうなんて、ついていないな、とも思いました。

そんなことを考えながら歩いていたものですから、とつぜん木のかげからふたごがあらわれたとき、びっくりしてしまいました。おどろくスキッパーをみて、ふたごは笑いころげました。

「ポットさん、みつかったの？」

たずねると、ふたごはまだ笑いながら、みつかっていないと首をふりました。みつかったことをしらせにきてくれたのかと、スキッパーは思ったのです。

「わたしたちの場所、もうさがし終わった」

「わたしたちの場所、さがしやすいところだったから」

ふたごのさがす場所は湖のまわりでした。かわるがわる岸辺を歩きながら小舟でひとまわりすると、もうさがし終わったのだそうです。それでスキッパーのところを手伝ってあげようと思ってやってきた、というのです。

それはありがたいな、とスキッパーは思いました。そこで三人はすこしはなれて進むことにしました。

「ねえ、スキッパー」

歩きはじめてすぐに、スキッパーの左がわを進んでいたほうが声をかけてきました。

「スミレさんのこと、どう思う?」

どう思う、という質問の意味がよくわからなくて、ききかえそうとしたとき、右がわを進んでいたほうがいいました。

「やっぱり、あやしい？」

スキッパーはそのことばにおどろいて、たちどまってしまいました。ふたごはたちどまらなかったので、あわてて進みながらたずねました。

「どうして、そう思うの？」

「スキッパーはそう思っていないみたい」

右のほうがそういいました。

「だって」左のほうがいいました。「トワイエさんが地図にかこんだ円のどこかに、ポットさんがいるっていった」

「いるような気がするっていったんだよ」

「どちらでも同じ。あれがあやしい」

「そう、あやしい。そんなことがわかるはずがない」

「でも、ふしぎな力(ちから)をもっているんだろ？」

「これまでに、たまたまいったことがあたったただけだとしたら？」

「そうだとしたら、どうなの？」

「ポットさんは円のなかにいない」

「どうして？」

いつのまにかふたごは、スキッパーのすぐ近(ちか)くを歩(ある)いていました。

「これまでに、たまたまいったことがあたったことがあって、スミレさんにはふしぎな力(ちから)があるって、トワイエさんやギーコさんが思っていた、とする」

「そこで、円のどこかにいる、という。するとみんなは、円のなかをさがす」

「なんのためにそんなことをいうの？」

「円の外にポットさんがいるから」

「ポットさんをみつけさせないため」

スキッパーはおどろいてしまいました。

「じゃあ、きみたちは、スミレさんはポットさんがどこにいるかしってるっていうの？　どうしてスミレさんは、ポットさんがいる場所をしっていて、それをみんなに教えないの？」

　スキッパーはたちどまりました。ふたごもたちどまって、スキッパーをみました。

「スミレさんが、犯人だから」

「犯人！」

　スキッパーは思わず大きな声を出してしまいました。

「スミレさんが、きのうの夜、ポットさんをどこかにとじこめた、とわたしたちは思う」

「なんのために？」

「それはわからない」

「わからないけれど、思いつくことはできる」

　思いつく？　まったくふたごときたらよく思いつくんだから、とスキッパーは肩をすくめました。で、どんなことを思いつくというのでしょう。

「たとえば？」

「スミレさんの重大な秘密を、ポットさんにしられた」

「スミレさんは、ポットさんが好きだった」

「ポットさんとトマトさんがなかよしなのに、がまんできなかった」

スキッパーは両手をあげました。

「もういいよ。そんなの、想像じゃないか」

「そう、想像、だから思いつきっていってる」

「でも、思いつきが重要」

「思いつきが重要って？」

「朝の集まりで、スミレさんは、わたしたちをよぶことに反対した、といった」

「わたしたちが次々と思いつくのが、おそろしかった」

「わたしたちが、いろいろ思いつくことをしってた」

「ほんとうのことをいいあてられるのがこわかった」

「だから、今度はわたしたちがねらわれるかもしれない」

いいかげんにしてくれよ、とスキッパーはふたごの顔をみました。ふたごが本気でそんなことをいっているのか、冗談でいっているのか、その顔からは、まるでわかりませんでした。

「もしもわたしたちがねらわれたら、助けてくれる？」

「助けてくれる？　スキッパー」

スキッパーはためいきをついて、うなずきました。

「助けてあげるよ、ねらわれたらね。だからいまはここをさがすのを手伝ってくれる？」

ふたごはきっと冗談でそんなことをいったのだろうと、スキッパーは思いました。というのは、そのあとさがすのを手伝ってくれたからです。もしも本気でスミレさんが犯人だと思っているのなら、ポットさんは円のなかにいないのですから、さがす必要がないはずです。

けっきょく、ウニマルのまわりでは、ポットさんはみつからず、夕方になってきたので、湯わかしの家にもどることになりました。

湯わかしの家には、四人のおとなたちはもうもどっていました。朝と同じ席にすわって、お茶をのんでいます。三人がはいっていくと、四人がぱっとこちらをみました。三人が、いなかったと首をふると、そうかとうなずきました。だれもみつけることができなかったのです。

スキッパーは、さっきのふたごの話が気にかかっていたので、スミレさんの表情に注意してしまいました。けれど、あやしいそぶりは感じられません。ポットさんがみつからないことを本気で心配しているようにみえます。ふたごはとみると、こちらも、あんなことをいったことなど忘れたようにみえました。

トマトさんは、三人にお茶をいれてくれました。

「ごめんなさいね。つかれたでしょう」

声は、しずんでいました。

三人がお茶をひと口のんだところで、トワイエさんが、地図をにらむようにみながらいいました。

「つまり、その、この円のなかには、ポットさんは、んん、いなかったわけ、ですね」

「ポットさんを、みつけられなかった、といったほうがいいんじゃないかしら」

スミレさんが小さな声でいいました。

「じゃあ、スミレさんは」トワイエさんがすこしいいにくそうにいいました。「ポットさんが、その、まだこの円のなかに、んん、いるように思う、わけですか」

スミレさんは、口をすぼめてしばらくだまったあと、うなずきました。

「そんな気がするの」

「どうですか、みなさん」トワイエさんは、ほかのひとたちをみまわしました。「あす、もういちど、その、円のなかをさがしますか？　それとも……」

「わたしは、それとものほう」

「わたしもそう。円の外」

　ふたごがいいました。

「だって、もう、さがしようがない」

「同じところをさがすのは、時間のむだ」

　スミレさんはまゆをよせてふたごをみたまま、首をひねりました。ふたごは、その表情をみのがしませんでした。

「スミレさんは円の外をさがさないほうがいいっていうの？」

「スミレさんは円の外をさがさせたくないの？」

「そんなことはいっていないわ。あたしのことを、まるでポットさんをかくした魔女でもみるようにみるのはおやめなさいな」

　スミレさんが魔女といったとき、ふたごは声をあわせて、ひっと息をのみました。

「まあ、まあ」トワイエさんがあわてて、両手をあげました。「あすは円のなかでも、円の外でも、ええ、これはと思うところを、ですね、さがすと、そういうことに、その、すればいいんじゃないですか」

ふっと顔をあげたトマトさんが、つぶやくようにいいました。

「もしかして、今晩、ポットさんがもどってくるかもしれない」

「そ、そうです。そうなるといいんだけれどなあ。そう、そうなるかもしれない。だから、とにかく、あすの朝、ここに集まって、もしも、その、もどっていなければ、んん、どうするか、考えると、そういうことに、ええ、しませんか」

トワイエさんは、なんどもうなずきながら、まとめました。

「じゃあ、わたしたち、帰る」

ふたごがふいにたちあがりました。

「あ、ぼくたちと、同じ方向だから」

トワイエさんがいっしょに帰ろうと腰を浮かしました。トワイエさんとギーコさんとスミレさんは、とちゅうまでふたごと同じ道なのです。

「でも、わたしたち、すこしいそいでる」

「そう、ちょっと用があるの。じゃあ、また、あす」

ふたごは、さっさと帰ってしまいました。

「あの子たちの考えてることって、さっぱりわからないわ」

スミレさんがつぶやきました。

4 ホースケったらダンスをしてる

ふたごが帰ったあと、のこりのひとたちも、トマトさんを元気づけてから湯わかしの家を出ました。

スキッパーは、ひとり別の方向でした。もう森はうす暗くなっています。いまごろポットさんはどこでどうしているんだろう、心配しているトマトさんのことを考えているだろうか、などと考えながら歩いていたときのことです。

「スキッパー」

とつぜんのおしころした声に、どきっとしました。しげみのかげに、ふたごがならんでしゃがんでいます。こんなところでなにをしているの、とたずねるよりさきに、ふたごが小さな声でいいました。

「うしろをみて」

「だれもついてきていない？」

なにをいっているのだろうと、スキッパーはふたりをみました。まじめな顔をしているようにみえます。とにかく、いわれたとおりにふりかえってみました。

「だれもいないよ。だれがいるっていうの？」

「念のため」

「ゆだん大敵」

いったいどういうことなのか、スキッパーにはさっぱりわかりません。

「あのひと、自分でいった。きいたでしょ」

「ポットさんをかくした魔女って、いった」

「あのねえ」スキッパーはためいきをつきました。「スミレさんは、そういう目でみるなっていったんだよ。自分が魔女なら、わざわざ自分でそんなことというはずがないよ」

「それが作戦」

「それが計略」

スキッパーは、あいた口がふさがりませんでした。そんなことをしらせようと、さきに湯わかしの家を出て、ここでまちかまえていたというのでしょうか。

「こんどはわたしたちがねらわれる」

「スキッパー、わたしたちを助けて」

「へ？」

「わたしたちを、ウニマルにとめて」

「でないと、ねらわれる」

ふさがらない口が、もっとあいてしまいました。

「だめ？」

「わたしたちをみすてる？」

「み、みすてる、だなんて」

「みすてないでしょ」

「助けるって、いったでしょ」

「いま、バーバさん、いないんでしょ」

「バーバさんのベッドで、ふたりでねる」

「いいでしょ、スキッパー」

「とめてよ、スキッパー」

「と、とめても、いいけど……」

「よかった。わたしたち、助かった」

「よかった。ねらわれないですむ」

すばやくふたごはスキッパーの両がわにならびました。

「じゃ、いきましょ」

「みつからないように、はやく」

ふたごはなんだかうれしそうでした。ほんとうにねらわれているから助けてほしいと思っているのか、ウニマルにとまりたかったからそういうふうにいっているのか、スキッパーにはわかりませんでした。

へんなことになっちゃったな、と思いながら、スキッパーはふたごといっしょに、ウニマルにもどりました。

暗い部屋のなかでスキッパーがランプに火をつけたとき、

「これなに？」

「わあ、おもしろい」

という声がうしろできこえました。ふりむくと、ふたごがテーブルの上のかごをもちあげているところです。そうでした。ホースケのことをすっかり忘れていたのです。

「あ、それをあけちゃ………」

いうよりもはやく、フクロウがテーブルの上から飛びたちました。スキッパーは、入り口のドアがしまっているのを目でたしかめました。フクロウに目をもどすと、部屋のなかをくるりと飛びまわってから、バランスを失って床に落ちるところでした。あごで着地したフクロウをみて、ふたごは声をあげてよろこびました。

「かわいい！」

「おもしろい！」

なにがかわいい、おもしろいだ、またフクロウをつかまえなきゃいけなくなったじゃないか。ふたごってめんどうなことばかりするんだから。スキッパーは、顔をしかめました。

フクロウはぶるっと頭をふると、あごをつきだして走りだしました。ウニマルの船尾側（せんびがわ）へいきます。そしてトイレのドアをはげしくくちばしでノックしました。

「ホースケ、そこはトイレだよ」

スキッパーは、鳥をつかまえるためのかごを手にとりながら、おどろかせないようにふつうの調子（ちょうし）でフクロウにいいました。

「トイレにいきたいんじゃない？」

「トイレにいきたいんだ」

鳥のあとについていたふたごがドアをあけてやりました。

「あ、そこをあけちゃ……」

フクロウはトイレにとびこみました。トイレには小さい窓（まど）があって、いつもそこはあけているはずです。

かごを投げすて、窓をしめようとかけつけたスキッパーがみたのは、便器のふちにとまって、用を足しているホースケの姿でした。スキッパーはおどろいてしまいました。

用を足したホースケは、水を流すレバーにとびのりました。水を流そうとしたのか、ただとびうつっただけなのかはわかりません。どちらにしても、からだが軽すぎて、水は流れません。フクロウはスキッパーをみあげました。水を流してくれ、といっているようでした。スキッパーはレバーをおしてやりました。

「この鳥、トイレが使える！」

「いままで、がまんしてたんだ！」

うしろからのぞきこんでいたふたごが叫びました。

「なんてかしこい！」

ほめられて、ホースケは首をかしげてふたごをみあげました。ふたごはふきだし

ました。

「顔が、へん！」

鳥は気を悪くしたみたいに、レバーからとびおりて着地によろけ、ひょこひょこ広間にもどりました。

「歩きかたも、へん！」

ふたごはけらけら笑いました。一歩一歩、からだを上下させながら、頭はからだの動きと逆に、あごをつきだして上下させるのです。

そのようすをみてスキッパーは、鳥をいますぐかごにとじこめなくてもいいような気がしました。逃げだそうと考えているふうにはみえないのです。必要があれば、そのときにかごにいれればいいと思いました。それでも、トイレの小窓は、鳥が出ない幅にとじておくことにしました。

「けさ、森でつかまえたんだ。ジバシリフクロウという種類でね、ホースケって名前なんだ」

スキッパーは、まだテーブルの上においていた本の、ジバシリフクロウのページをふたりにみせました。ふたりは本とホースケをみくらべて、笑いだしました。

「これって、そっくり」

「ほんものをみなければ、わざとへんにかいた絵だと思う」

ホースケは、きょろきょろまわりをみながら、書斎のほうへいきました。ウニマルのなかをたんけんするつもりのようです。三人もついていきました。

「ジバシリフクロウってトイレを使えるんだ」

「そんなこと、本には書いてない」

ふたごがいいあっているのをきいて、スキッパーは、書斎のランプにも火をつけながらいいました。

「きっと、ホースケはひとに飼われていて、そういうふうにしつけられたんだと思うな」

それにしてもどうしてウニマルのトイレの場所がわかったのかふしぎでした。でもそれよりも、かごでつかまえておかなくてもフクロウが逃げようとしないことが、スキッパーにはうれしいことでした。いまもちゃんと三人の足もとにいるのです。首をかしげて、本棚をながめ、なにか考えているようです。

「ホースケ」

「ホースケ」

ふたごがよぶたびに、頭の毛をさかだててこたえます。ほんとうにひとにはよくなれているようなのです。それでもスキッパーは心配で、ふたごに、窓やドアをあけるときはフクロウが出ていかないように気をつけてね、とたのみました。ふたごときたらなにをするのかわからないからです。

夕食の用意をしなければとスキッパーは思いました。そうです。きょうはちゃんとした食事はまだしていなかったのです。

「あの、なにを食べる?」

ふたごにたずねてみました。

「パイ」

「タルト」

ふたごはしゃがんでフクロウをみたりつついたりしながらこたえました。ホースケはつつかれてもいやがっているようではありません。頭の毛(け)をちょっとたててこたえています。

「あのね、晩(ばん)ごはんだよ」

「パイとシナモンティ」

「タルトとミルクティ」

それじゃ、お茶の時間じゃないか、とスキッパーは思いました。

「いつも、ごはんにそんなものを食べているの?」

ふたごは、そろってこくんとうなずきました。

「あのね、そんなものでなくてもいい?」

はじめからたずねなきゃよかったと思いながら、スキッパーはいいました。ふたごはそろって、こくんとうなずきました。

スキッパーは、広間の中央のストーブの、上の段だけで火をおこしました。寒い季節だと下の段から燃やして部屋をあたためるのですが、夏は上の段だけを料理用に使うのです。そしてやかんに水をいれ、ストーブのこんろのふたをとり、直接火があたるようにやかんをおきました。それから床下の倉庫におりていき、くだものと野菜とソーセージの缶づめと、びんいりのマヨネーズとねりがらし、それとクラッカーのふくろをとってきました。テーブルの上に皿を三枚出し、思いなおして四枚にしました。ホースケのぶんです。それにクラッカーをならべ、クラッカーの上に缶づめから出したくだもの、野菜、ソーセージをおき、野菜の上にはマヨネーズを、ソーセージの上にはねりがらしをのせました。フクロウのぶんは、ひと口ずつ食べやすいようにくだものやソーセージを切り、クラッカーは割ってやりました。カップは同じ形のものはふたつずつしかウニマルにはありません。そこで二種類のマグカップを用意し、ポットにお茶の葉をいれました。これでお湯がわけばできあがりです。書斎から、ふたごの笑い声がきこえてきます。

「ねえ、スキッパー、ホースケったらダンスをしてる」

「ダンスだって?」

みにいくと、ホースケは床までぎっしりとつまった本棚の前で、右に左にいったりきたりしては、本をつついているのです。歩くたびにからだと頭を上下させるので、ほんとうに踊っているようにみえます。

「ホースケ、本をつつくといたむから、つつかないでね」

スキッパーがいうと、フクロウはびくっとしました。そしてなさけなさそうにスキッパーをみあげました。スキッパーはそっとフクロウをだきあげました。びくっとしましたが、いやがりません。

「ホホッホウ」

「わあ、鳴いた」

「ホホッホウっていった。スキッパーっていったみたいだった」

ほんとうだ、とスキッパーは思いました。そして、うれしくなりました。でも考えてみると、最初からホホッホウという鳴きかたはよくしていたのです。

「晩ごはんにしよう」

スキッパーはホースケをだいたまま、広間のテーブルにいって、皿の前におろしてやりました。さっそく食べだすかと思うと、横においてあったポットのほうに興味をひかれたようで、軽くくちばしでつつくとスキッパーをみて、また鳴きました。

「ホホッホウ」

「のどがかわいたっていってる」

「お茶がほしいっていってる」

このふたごの意見には、スキッパーは賛成できないなと思いました。いくらひとに飼われていたといっても、フクロウがあついお茶をのむなんて思えません。

「あついよ、やけどするよ」

スキッパーは、ホースケをひきはなして、やかんのお湯をポットにそそぎました。お茶をいれて、夕食のはじまりです。フクロウには、水でうすめたお茶をいれてやりました。三人が食べはじめたのに、ホースケはなにかそわそわして、皿の上のものをつつこうとはしません。

「どうしたの、食べてごらん。この皿はきみのぶんだよ」

スキッパーは、皿をおしてやりました。ホースケはスキッパーをみて、目をぱちぱちさせています。

「食べたくないの？」

「食べる前に、したいことがあるの？」

したいことがあるの、といったほうのふたごの顔を、ホースケはじっとみました。

「したいことがあるのね」

「食べる前でなきゃだめなの？」

「食べたあとでさせてあげる」

ソーセージ
ねりがらし
キャベツ
とうもろこし
さくらんぼ
もも
みかん
マヨネーズ
アスパラガス
グリーンピース
クラッカーにのせて……

フクロウはちょっと頭の毛をさかだて、ほんとうにさせてくれるね、という感じでふたごをみたあと、もうぜんと食べはじめました。三人は笑いだしてしまいました。

「いまの、ほんとうに話がわかったみたいにみえたね」

お茶をひと口のんで、スキッパーがいいました。

「みえた」

「みえた」

ふたごがうなずくのといっしょに、フクロウが大きく頭をさげました。それがうなずいたようにみえたので、三人は大笑いしました。

フクロウの食べかたときたら、くわえるともうまるのみです。自分はなにも食べていないよという顔でのみこむのです。それがおかしくて、また笑ってしまいます。笑いながら食事をするなんてひさしぶりだな、とスキッパーは思いました。ポットさんやトマトさんのことを考えると、こんなに楽しくしていていいのかという気がします。そんなことを考えたせいでしょうか、ふたごがここにきているのは魔女から逃げるためだったということを、スキッパーは思い出しました。ふたりとも、そんなことは忘れているみたいです。笑いながら、クラッカーの上のくだものだけ食べて「これ、おいしい」とか、「クリームがのっていればもっといい」なんておしゃべりしているのです。スキッパーはすこしいじわるをいってやりたくなりました。

「ね、ふたりとも、すっかり忘れているみたいだね」

ふたごはそろって、目で、なんのこと、とききかえしました。

「魔女のこと」

スキッパーのことばに、口のなかのソーセージを、ばふっとふきだしたのはふたごではなく、ホースケでした。ちょうどのどにつかえてむせたのでしょう。でもそのタイミングがあまりにぴったりだったので、魔女ということばに驚いたようにみえて、大笑いになりました。

「ホースケのほうがおどろいた」

「わたしたちのかわりにおどろいてくれた」

そういって笑うふたごをみていると、本気で魔女にねらわれるなんて思っていたんじゃなさそうだな、とスキッパーは思いました。

ホースケは三人の顔をかわるがわるみて、首を右に左にかしげました。なぜ自分が笑われたのかわからない、といった感じです。でも、それで気を悪くしたのかどうか、もう食べものには口をつけませんでした。

スキッパーが食べ終わると、それをまっていたみたいにホースケはテーブルからとびおり、書斎へいきました。ふたごはおしゃべりばかりしていたのでまだ食べ終わっていなくて、スキッパーひとりがフクロウのあとについていきました。フクロウはスキッパーをちらっとみてから、さっきの本棚の前で、さっきと同じダンスをはじめました。

くちばしでつつくと本がいたむ、ということばをおぼえているみたいに、本にはそっとふれました。本にそっとふれてはからだをゆすって右へ左へ移動し、別の本にそっとふれるのです。スキッパーは、その動きがおかしくて、くすくす笑いながらみていました。

やがてスキッパーは、おや、と気をひかれました。ホースケのさわる本が決まっているのです。そして、四冊の本にさわったあと、かならずスキッパーをみあげます。さわる本は、『世界のきのこ』『貝のいろいろ』『化石を掘って三十年』『クレナイ島の植物』この四冊です。

スキッパーは、フクロウがくちばしでさわったときに、なにげなく、題名をつぶやきました。

「世界のきのこ」

そのとたんにフクロウは動きをとめて、スキッパーをみました。それから、本の背表紙の文字を、上から順にくちばしでさわっていってスキッパーをみて、首を左右にはげしくふり、ふたたび背表紙の文字にむきなおって、きのこの、〈き〉をさわりました。

「き？」

スキッパーが、〈き〉といった瞬間、フクロウはこちらにむきなおり、大きくからだを上下させてうなずくようなかっこうをしました。そしてすぐに『貝のいろいろ』のところにいって、文字にふれました。

「い？」

ホースケは全身でよろこぶと、『化石を掘って三十年』の前で、同じ動作です。

「て？」

最後の『クレナイ島の植物』では、上のふたつの文字をつつきました。

「クレ？」

ホースケは大きくうなずくと、スキッパーをまんまるの目でみつめました。スキッパーは胸がどきどきしはじめました。

「き、い、て、クレ……。ホースケ、きみ、きいてくれっていってるの？」

ジバシリフクロウは、せいいっぱいの動作で、大きくうなずきました。

5　どうして魔女（まじょ）のことをしっているんだ？

「まさか」

「ばかげてる」

ふたごは最初、スキッパーのいうことが信じられませんでした。ホースケがことばも文字もわかっていて、きいてくれといっているというのです。

「じゃあ、わたしのいうことがわかる？」

ふたごのひとりがフクロウにたずねました。フクロウは大きく頭をさげました。

三人は顔をみあわせました。

「それが、はい、ね。いいえ、はどうする？」

鳥は左右に首をふりました。

「わかるみたい」

「わかるみたい」

三人はもういちど顔をみあわせました。

「なにかきいてくれっていってるんだ」

スキッパーがそういうと、鳥はまたうなずきました。

「すごい！」

「すごい！」

「じゃ、やってみて」

「ダンスで文字をついてみて」

鳥は本棚をみわたして、とほうにくれたようにスキッパーをみあげました。なにをいいたいのかわからないけれど、ここから文字をさがすのはたいへんだ、とスキッパーも思いました。すると、いいものを思い出しました。本棚のすみに、昔バーバさんがスキッパーのために買ってくれた、文字の本があったのです。スキッパーは本をとりだし、フクロウの目の前ではじめのページをひらきました。ページいっぱいに、あいうえお五十音表がありました。

「さあ、ホースケ、やってごらん」

フクロウは、すこしためらってから、〈た〉の文字をつつきました。三人が、「た」

（いいえ）

あ
あまよもぎ
い
いす
う
うみ
え
えんとつ
お
おちゃ
か
かさ
き
き
く
くらっかー
け
けん
こ
こづつみ
さ
さかな
し
しま
す
すこっぷ
せ
せんめんき
そ
そり
た
たからばこ
ち
ちーず
つ
つくえ
て
てがみ
と
とけい
な
ながぐつ
に
にじ
ぬ
ぬりえ
ね
ねずみ
の
のみ

わ
わなげ
ら
らっぱ
や
を
ん
ぺん
ろ
ろうそく
よ
よっと
も
もり
ほ

と声に出しました。つぎは〈い〉です。そのつぎは〈ふ〉。

「たいふうのことかな」

ふたごのひとりがつぶやくと、ホースケは左右に首をふりました。そしてつづけました。〈ら〉〈い〉〈た〉〈あ〉そして三人の顔をみあげました。

「た、い、ふ、ら、い、た、あ……？」

なんのことだろうと、三人は顔をみあわせました。

「やっぱり、わかってないんじゃない？」

「めちゃくちゃつついてる」

とつぜんフクロウは両足でじだんだをふみました。いらいらしているみたいです。

そしてもういちどはじめからやりなおしました。〈た〉〈い〉、そしてつぎの〈ふ〉をつついてから、〈ふ〉の右上で小さく丸をかくようにくちばしをまわしました。

「タイプライター！」

スキッパーがさけぶと、フクロウは大きくうなずきました。なんてかしこい鳥でしょう。タイプライターがほしいといっているのです。

すこし小型のものですが、バーバさんのタイプライターがあります。さっそく棚から出してきました。もってみると、小型でもかなりの重さです。テーブルの上にケースから出したタイプライターをおき、紙をセットしました。

そのあいだホースケは、ひょこひょこと歩きまわりながら、右に左に首をかしげ、急にたちどまっては上をみあげ、どういうふうに話をしたものか、考えているふうでした。

そして、ジバシリフクロウのタイプがはじまりました。三人はホースケのうしろがわから、タイプされる文字をのぞきこみました。フクロウがくちばしでキイをつつくとカシャッと活字がはねて、黒いリボンごしに紙に文字を打ちます。三人は、紙に文字がならぶのを読む前に、フクロウのさわるキイを読んでしまいます。

——コノコトワ

「すごいすごい！　この鳥、タイプできる！」

「このことは、だって！」

「ワは、ハと打つべきだけど」

「でもワでもかまわない」

「すごい！」

「すごい！」

ふたごがぴょんぴょんはねました。スキッパーだってはねあがりたい気持ちです。なにしろ、タイプでお話ができる鳥を飼っているのです。胸がわくわくします。

――キミタチダケノヒミツニスルト　ヤクソクシテホシイ。

三人は顔をみあわせました。なんだか、すごいことを教えてくれそうなのです。

「する、する」

「ぜったい、秘密にする」

「ぼくも、秘密にする」

三人はちかいました。鳥は、大げさにうなずきました。その動作と表情に、ふた

ごはくすっと笑ってしまいました。フクロウはふたごをみて首をかたむけ、目を細めました。

「ごめんごめん、笑ったのは、足までまげてうなずくから」

「そう、笑ったけど、秘密はまもる」

フクロウは、ふたごをみてひと息ふた息ついてから、タイプライターにむかいました。そして、からだをのばしてくちばしでレバーを操作し、紙をまきつけたローラーをもとの位置に、チンと音をたててもどしました。新しい行にかえたのです。タイプライターのことをちゃんとしっているようです。ほんとうにすごいフクロウです。それからすこし考えて、キイをつついていきました。

――ボクワ　ポットダ。

三人は、わけがわかりませんでした。

「それって……、どういうこと?」

「あなたは、フクロウでしょ?」

「きみは、ジバシリフクロウのホースケだろ？」

鳥は頭の毛をさかだてて、タイプしました。

――ソノナマエワ　スキデナイ。

「好きでない？」

名づけ親のスキッパーは、自分の飼っている鳥にそんなことをいわれて、どんな顔をすればよいのかわかりませんでした。

――ボクワ　ホースケデワナク　ポットナンダ。

「きみ、ポットっていう名前だったの？」

「わたしたち、ポットさんってしってる」

「同じ名前のひと、いま、行方不明」

鳥はいらいらと行をかえて、キイをつつきました。

――ボクガ　ソノ　ポットナンダ。

三人は息をのみました。鳥はゆっくりふりかえりました。

「ゆ、湯わかしの家のポットさん？」

「ト、トマトさんの、だんなさんの、ポットさん？」

ふたごがささやくようにたずねました。鳥はうなずきました。

スキッパーは声も出ませんでした。

「どうしてあんたがポットさんなの？」

「もしもポットさんなら、どうしてこんな姿なの？」

たずねておいて、ふたごは自分たちでうなずきあいました。

「わたし、わかった！」

「わたしも、わかった！」

そして同時にひとさし指をたてると、叫びました。

「魔女！」

「魔女に姿を変えられた！」

ウニマルのなかがしいんとしました。フクロウがゆっくりうなずきました。

「やっぱり！」

ふたごが顔をみあわせて、うなずきあいました。

「で、ポットさんは、どうして魔女に姿を変えられたの？」

「魔女はどうやって、ポットさんをフクロウにしたの？」

ふたごはもうすっかりフクロウがポットさんと思っているようです。スキッパーはひとりとりのこされたような気分でした。ついさっきまで感じていた、ぼくの飼っているすごくてすてきな鳥というわくわくした気分がどこかへいってしまって、どう考えればいいのかわからなかったのです。

鳥はふたごの質問にはこたえず、自分のほうからたずねました。

――ドウシテ　マジョノコトオ　シッテイルンダ？

「オはヲと打つべき」

「オでもいいけど」

「わたしたち、気づいたの。ね」

「そう。それから、スミレさんは自分でも、魔女ってことばを口にした」

フクロウは目をぱちくりさせました。そしてタイプしました。

――スミレサン?

「そう、スミレさん」

「スミレさんは魔女」

フクロウは目をまんまるにして、すこしよろけました。

――スミレサンノコトワ　ボクワ　シラナイ。ボクノスガタオ　カエタノワ
スミレサンデワナイ。

「別の魔女がいるんだ!」

「別の魔女がやってきた!」

「きのうのあらしで飛んできた!」

「ほうきに乗って!」

「でも、スミレさんも魔女の仲間だと思う!」

「連絡をとりあってる！」

次々に思いつきをいいだしたふたごは、鳥がタイプをしはじめたので、だまりました。

――カッテナコト　イワナイデ　ユックリハナシオ　キイテクレ。

「きく」

「ゆっくりきく。でも、読むっていうのが正しい」

鳥はちらっとふたごのほうをみてから、タイプライターのキイをつつきはじめました。

――キノウノヨルノコトダッタ。ボクワ　トワイエサントイッショニ　オサケオ　ノンデイタ。

タイプされていく文字をそこまで読んで、はじめてスキッパーはこのフクロウがポットさんだと信じることができました。そして思わず叫んでいました。

「ポットさん！」鳥はびくっとふりむきました。「トマトさんがとっても心配してるよ。フクロウの姿になっちゃったなんていったら、きっとびっくりするだろうけど、ぼく、しらせにいってくるよ」

鳥は、あわてて、タイプライターにむきなおりました。

――マッテクレ　スキッパー。キモチワ　ウレシイ。アリガトウ。ダガ　トマトサンニ　シラセテホシクナイ。トニカク　ボクノ　ハナシオ　キイテクレ。

そして、スキッパーのほうにむきなおり、じっとみつめました。どうしてトマトさんにしらせてはいけないのか、スキッパーにはわかりませんでした。けれど、ポットさんがそういっているのだから、そうするほかありません。

――ツイ　ノミスギテ　ズイブンオソクナッテシマッタ。ボクワ　トワイエサンニ　サヨナラオ　イッテ　カエルコトニシタ。

満月が森を照らしていたので、ランタンをすすめられたがことわって、森の道を、湯わかしの家へと、もどっていった――と、タイプの物語はつづきました。

もうすぐ湯わかしの家だな、というところで、ポットさんはだれかに声をかけられました。

「おにいさん、いいごきげんね」

女のひとのようでした。そのひとは満月を背にしていたので顔はみえません。でも、グラスを片手にもっているのが、月の光でわかりました。

もしもふつうのときだったら、こんな森のなかで片手にグラスをもった女のひとが声をかけてくるのはおかしなことだと思ったはずです。けれど、ポットさんはすっかりよっぱらっていたのです。

「もういっぱい、いかが」

女のひとはグラスをさしだしました。

「そうかい。わるいね」

ポットさんは、つい、それをのんでしまいました。みょうな味だなと思ったとき、すうっとまわりが暗くなりはじめました。さっきまであんなに明るかった満月が、

雲にかくれていくのです。雲は厚くてどんどん暗くなっていきます。ふしぎに思ったのは、あたりが暗くなっていくにつれ、女のひとが大きくなっていくようにみえることでした。そしてまわりはふっとまっ暗になってしまいました。

そのとたん、女のひとのけたたましい笑い声が上のほうからきこえました。そして笑い声がよびおこしたように、一瞬のいなびかりが、森を明るく照らしだし、とてつもなく大きくなった女のひとがみえ、耳のこわれそうな雷鳴がひびきわたりました。

「おにいさん、ジバシリフクロウになった気分はどう？」

女のひとの声が高いところからきこえて、それにつづく笑い声といっしょに、雷の光と音が二度三度おそってきました。

——コンドノヒカリデ　ボクワ　オンナノヒトノカオオ　ハッキリト　ミタ。

「それが魔女だったのね！」

「魔女だったのね！」

たまらずふたごが口をはさみました。スキッパーは、どきどきしながら、タイプの紙を新しくセットしました。

――マジョ　ダッタ。ソレガ　ワカッタトタン　イチドニ　ヨイガ　サメタ。

ポットさんはジバシリフクロウというものがどういうフクロウかしりませんでした。けれど自分が魔女の計略にかかってしまい、その鳥になる薬をのまされ、小さくちぢんでそれになってしまったということは、魔女の顔をみた瞬間にわかりました。

くらやみのなかで、たちすくんでいると、次のいなびかりがぴかっと光りました。魔女の顔と手が目の前にみえました。腰をかがめてポットさんをつかまえようとしているのです。反射的にポットさんはかけだそうとしてころびました。ジバシリフクロウの走りかたなんてしらなかったのです。雷鳴のなかで魔女の高笑いがきこえました。ぶざまにころんだ姿が、くらやみのなかでもみえるらしいのです。

それでも必死でたちあがり、よろめく足でかけだそうとしたとき、森をゆすって

すごい風が吹きつけました。ちょうどたちあがるために翼をひろげていたからたまりません。風にとばされ、ころころころがり、木の幹にぶつかり、ようやくとまったところで次のいなびかり。すると目の前に魔女の顔と手。雷鳴と高笑い。にげだす。風。とばされ、ころがる。とまったらいなびかり。魔女の顔と手。雷鳴と高笑い………。

ネコがつかまえたネズミをいたぶるようでした。こんなことがどれだけつづいたことか。気がつけばポットさんは森のなかを、なにかにとりつかれたように走っていました。しげみの下をかけぬけ、やぶのなかをくぐりぬけ、いままでこんなにはやく走ったことはないほど、はやく走ることができました。そして、いつのまにかくらやみなのにまわりがみえていることに気がつきました。魔女から逃げだせたのか、ポットさんをいたぶることに魔女があきてしまったのか、それはわかりません。とにかく魔女の手からはのがれ、たったひとり、森のなかを走りつづけていたのです。そしてとうとう息がきれ、足が動かなくなって、しげみのなかでたおれてしまいました。

そこでポットさんはうずくまったまま、まんじりともせず、夜を明かしました。魔女からはのがれることはできたものの、森にはキツネもいます。ヘビもいます。ほかの動物におそわれるかもしれません。

まわりが明るくなってきてはじめて、自分は鳥なのだから地面にいなくてもいいことに気がつきました。そこで、近くの大きな木の枝に飛びあがることにしました。しげみからはいだし、翼をはばたいてみました。すぐには枝に飛びあがることはできませんでしたが、何度かやってみるうちに、うまくいきました。枝にとびうつってわかったのですが、フクロウの足は、うまく枝にとまれるようにできていました。力をいれないでもしっかりと枝をにぎってしまうのです。

朝日がいやにまぶしくて、できるだけうすぐらいところで丸くなり、これからどうすればよいか考えました。フクロウのままで一生過ごすのだろうか。いや、なんとかもとの姿にもどりたい。それにはだれかの助けをかりなければ。そんなことを考えているうちに、おなかがすいてきました。

ジバシリフクロウというものは、いったい何を食べるのだろう。ふつうのフクロウならノネズミなんか食べるぞ。そう考えるとぞっとしました。まだイモムシのほうがましだな、そう思ってもういちどぞっとしました。ああ、なんてことだ。いよいよおなかがすいて死にそうになるまでなにも食べないでおこう。そう思って、目をとじてじっとしていました。

どれくらいそうやって枝の上で丸くなっていたでしょう。とつぜん足音がきこえました。そっと目をあけると、それはスキッパーでした。

スキッパーに助けてもらおうか、どうしようか、ちょっと迷いました。けれど最初にみつけてくれたのだから、スキッパーに助けてもらおう、そう決めて枝の上にたちあがり、

「スキッパー」

と、よんだつもりでした。ところがのどから出た声は、

「ホホッホウ」

だったのです。


――ソノアト　スキッパーワ　ボクニ　クラッカート　チーズオ　クレタ。ボクワ　オナカガ　スイテイタカラ　トリアエズ　ソレオ　タベタ。スルト　スキッパーワ　ボクオ　ツカマエタ。オマケニ　ホースケ　ナンテナマエオ　ツケタ。コウイウワケダッタンダヨ。

スキッパーは頭がくらくらするような気分でした。

「ご、ごめんなさい、ポットさん。ぼく、しらなかったんだよ」

ようやく、それだけ、いえました。

――モウイイヨ　スキッパー。ソレヨリ　タイセツナハナシガ　ノコッテイル。

スキッパーはタイプライターの紙を新しくしました。もう、五枚目の紙になっていました。

6　そこできみたちに、たのみがある

大切(たいせつ)な話ってなんだろうと、三人は、タイプライターにむかう鳥がキイをつつくのをみまもりました。

——コノハナシワ　ゼッタイニ　ダレニモ　ハナサナイコト　モウイチド　ヤクソクシテホシイ。

その約束(やくそく)は、さっきしたはずなのです。けれど三人は、もういちど約束(やくそく)しました。

「する」

「約束(やくそく)する」

「ぼくも、だれにもいわない」

フクロウはゆっくりうなずくと、タイプをつづけました。

——オンナノヒトノ　カオオ　ミタトタン　ナゼ　ボクニ　ソレガ　マジョダト　ワカッタノカ　キミタチワ　ギモンニ　オモワナカッタダロウカ。

「魔女(まじょ)の顔をしていた」

「目がこわくて、鼻(はな)がまがってる」

ふたごの意見に、フクロウは左右に首をふりました。

――ボクワ　ソノマジョオ　シッテイタ。

「魔女にしりあいがいた？」

「しりあいの魔女？」

――ソノマジョワ　トメイトウ　トイウ　ナマエダ。

「トメイトウ？」

「どこかできいたような名前」

――トメイトウ　トイウノワ　トマトサンナノダ。

ウニマルのなかがしいんとなって、三人はおたがいの顔とタイプされた文字をみくらべました。

「ト、トマトさんが、魔女………？」

スキッパーがつぶやくと、ふたごが口々にいいました。

「それって、どういうこと？」

「どうしてトマトさんが魔女？」

「トマトさんは、ポットさんを愛しているはず」

「トマトさんがどうしてポットさんをフクロウにする？」

ずっとタイプライターにむかったままのフクロウのポットさんは、ゆっくりと左右に首をふりました。

——トマトサンワ　トメイトウニ　ナッタトキ　トマトサンデワ　ナイ。ベツノヒトニ　ナッテ　シマウノダ。

「わからない」

「くわしく話して」

「くわしくタイプして、というべき」

「くわしくタイプして」

——イチネンデ　ヨルガ　イチバン　ミジカクナル　ヒオ　ゲシ　トイウ。

部屋のなかは、フクロウのくちばしがキイを打ち、行をかえ、タイプする音だけがつづきました。

トマトさんは、夏至の日の夜から三晩つづけて、深夜十二時から夜明けまでの間、ふだんの自分とはちがう人物、魔女トメイトウになるというのです。

それはポットさんがトマトさんとくらすようになって三年めの夏にはじまりました。トメイトウの魔法はおもに奇妙な薬をつくる魔法で、最初の夏はつくった薬をいすにふりかけ、いすをこんぶのようにぐにゃぐにゃにして空中をただよわせ、それといっしょにダンスをするという遊びでした。

ポットさんはびっくりぎょうてんしましたが、もっとおどろいたのは朝になるとトマトさんがそのことをまったくおぼえていないということでした。

「きみ、きのうの夜、魔女になっていたんだよ」

ポットさんがいくら説明しても、冗談だと思っているのです。ポットさんのほうが、自分は夢をみていたのではないかと思ったほどです。でも二晩めも同じことがおこり、三晩めも変身し、夢ではないと思いました。けれど三日つづいたあとはぴたりと、そういうことがおこらなくなり、ふしぎなことだと思うばかりでした。

ところが、次の年の夏にも同じことがおこりました。次の年につくったのは、ものに翼をはやしてしまう薬で、なべやコップ、くつ、スコップなど家のなかのありとあらゆるものを飛びまわらせて踊りくるいました。自分がトメイトウという名前だといったのは、この年です。

三年めの夏に、ポットさんは、それが夏至の日から三日つづくというきまりを発見しました。この年は夜の森に出て、薬をふりかけた木や草を虹色に光らせて、カエルとトカゲにダンスをさせました。

このようにトメイトウの魔法は、陽気ないたずらにきまっていて、しかも夜明け前にはすべてもとの姿にもどすのを忘れなかったものですから、ポットさんはそれをみていっしょに楽しむことにしていました。そしてそのことをトマトさんに説明するのはもうあきらめていました。というのは、トマトさんが魔女に変身するなど

というとトマトさんが気味悪く思うだろうし、ポットさんにしてみれば、トマトさんにないしょでもうひとりのトマトさんと遊んでいるような気がして、その三日間のことは、トメイトウとポットさんの秘密にしておこうと思ったからです。

ところが、そんなことが六年つづいて七年目の夏至のことです。トメイトウは森からキツネをつかまえてきました。そして、ホタルをもとにつくった薬をのませて、シッポの光るホタルギツネに変えてしまい、遊んだあとに、もとの姿にもどそうとしなかったのです。

ポットさんは、もとの姿にもどしたほうがよいと、トメイトウにいいました。するとトメイトウは、自分にそんなことをさしずするなら、ホタルニンゲンにしてしまうと、ポットさんをおどしました。ポットさんにそんなことをいったのははじめてのことです。

ポットさんは、このままトメイトウを好きなようにさせておくのはよくないと考えました。ホタルギツネはおそらく自分ののぞまないくらしをしていかなければならないはずです。

そこで八年めからは、夏至の日から三日間、十二時になるまでに、トマトさんに眠り薬入りのココアをのませ、眠りこんだところでいすかベッドにしばりつけてしまうことにしました。

十二時になるとトメイトウはしばられたまま目覚めます。どうすることもできません。ポットさんとおしゃべりをすることしかできないのです。おしゃべりといっても、おもにポットさんをののしるとか、なんとかロープをほどかせようとおねがいするかなのですが、ポットさんは、そのおしゃべりを楽しむことにしていました。ふだんのトマトさんなら、ぜったいにいわないようなことをいうのがおもしろかったのです。トメイトウがおこったりすると雷が鳴り、風が吹く、というのもなかなかゆかいなできごとでした。

そして今年、ポットさんは、夏至の日を一日まちがえてしまいました。夏至の日は毎年、六月二十二日ぐらいなのですが、すこしずれることがあるのです。

――カオオ　ミタトタン　ボクワ　ゲシノヒオ　マチガエタコトガ　ワカッタ。

トメイトウワ　ジバシリフクロウニ　カエル　クスリオ　ツクッテ　イタズラオ
シヨウト　ダレカガ　トオルノオ　マチカマエテイタノニ　チガイナインダ。

フクロウがタイプを打つのをやめて、ウニマルの部屋は静まりかえり、すこし間をおいて、三人のためいきが流れました。

「するとトマトさんは、自分がしたともしらないで、悲しんでいることになる」

「なんて、かわいそう」

スキッパーは、ふたごがつぶやくのをききながら、十枚めの紙をセットしました。

思いもよらない話に、何といったらいいのかわかりません。

――ソコデ　キミタチニ　タノミガアル。

フクロウのタイプがつづきました。

ポットさんをもとの姿にもどす方法はトメイトウしかしらないだろう。だから、トメイトウからその方法をききだしてくれ、というのです。

まず十時ごろに眠り薬のはいったココアをトマトさんにのませます。眠りこんだところでいすにしばりつけます。そしてトメイトウが目覚めたところで、ポットさんをもとの姿にもどす方法をききだすのです。

「そんなのきっと、教えてくれない」

「わたしが魔女なら、教えない」

スキッパーも、ふたごと同じ意見でした。

――ゲッコウソウノ　シルデ　オドスノダ。

何年か前にトメイトウは、しばりつけられて目覚めるのなら死んだも同じだ、いっそ月光草の汁をわたしにふりかけておくれ、とやけっぱちになって叫んだのだそうです。

ポットさんは、ふりかけるつもりはなかったけれど、月光草をすりつぶして汁をつくってみました。それを部屋のなかにもちこんだとたん、トメイトウは叫び声をあげて、部屋の外にすててくれとたのんだというのです。ポットさんにはなんのにおいも感じないのに、トメイトウはにおいすら、がまんできないらしいのです。

三人は、それならできるかもしれないと思いました。でも、よく考えてみると、とてつもなくおそろしいことでした。

「あのう……」スキッパーが口ごもりながらいいました。「それ、トワイエさんやギーコさんに、たのんでみたら、どうかな」

「そう。スキッパー、頭いい！」

「あのひとたちなら、わたしたちより、うまくやる！」

――マッテクレ。

フクロウはタイプを打ちました。

――ボクワ　コノコトオ　ホカノヒトタチニ　シラレタクナイ。キミタチダケノ　ヒミツニ　シテホシイ。

トマトさんが、たとえ夏至の三日間だけといっても、魔女になるなどということを、できるだけ多くの人にしられたくないというのです。いちばんしられたくないのは、トマトさん本人です。自分がそんなふうになるなどということをしったら、どれほどおどろき、悲しむでしょう。

きっとうまくいくから、ここはひとつ三人でなんとかやりとげてほしい。フクロウは、そうタイプを打ち、三人に何度も頭をさげ、たのみました。

ぷっとふたごがふきだしました。こんなにおそろしく、しんこくな話なのに、フクロウが足をまげ、頭をさげるかっこうと表情が、なんともおかしかったのです。

スキッパーもふたごにつられて、思わず笑ってしまいました。

笑ってしまうと、やるしかないと、三人には思えました。

フクロウは、笑われてむっとしましたが、三人がやる気になってくれて、よろこびました。そして、眠り薬入りのココアのつくりかたと、月光草の汁のつくりかたを教えました。

眠り薬入りのココアは、砂糖のかわりに、アマヨモギの汁を使うのだそうです。

そこで三人と一羽は、夜の森にランタンをもってでかけ、アマヨモギと月光草を

つみにいきました。

夜の森をランタンひとつで歩くのは、なんだかおそろしい感じでした。月が雲にかくれるともうランタンだけがたよりで、まわりの暗がりからなにかがぬっと出てくるような気がするのです。先頭をフクロウがひょこひょこ歩き、そのあとにランタンをもったスキッパー、そしてふたごがつづきました。なにかのひょうしでスキッパーがランタンをもった手をゆらすと、三人と一羽の影が大きくゆれて、どきっとします。

アマヨモギも月光草も、ウニマルからそれほど遠くないところでみつかりました。フクロウがみつけたのです。三人にはランタンの光では、とてもほかの草とみわけがつきませんでした。たっぷりとつんだ草は、ふたごがそれぞれもちました。

ウニマルにもどると、さっそく汁をつくりました。草を洗って、葉の部分をこまかくきざむと、もう汁が出てきます。それをさらにハンカチでくるみ、もみながらしぼるのです。まずアマヨモギの汁をつくり、それと混ざらないようにして月光草

草の汁のつくりかた
アマヨモギ
月光草
あらって
きざんで
しぼって
びんにいれる
アマヨモギの汁
月光草の汁

の汁をつくりました。つくった草の汁は、どちらも同じような緑っぽい色をしていま す。ウニマルにはバーバさんがたくさん茶色の小びんをおいていたので、それを洗って、それぞれの汁をいれました。

時計をみると、もう九時です。

次にココアをつくりました。ココアの粉も缶づめのミルクもウニマルにはおいてあります。バーバさんがいるとき、夜にときどきのんでいるのです。

ポットさんがさしずするとおりにココアをつくり、さてアマヨモギの汁をいれようと、スキッパーがびんを手にとったとき、ふたごのひとりが叫びました。

「まって、それは月光草！」

え？　とスキッパーは思いました。たしかこちらがアマヨモギだと思ったのです。

「いいえ、それがアマヨモギ」

もうひとりがいいました。スキッパーもこちらがアマヨモギだと思うのですが、自信がなくなってしまいました。びんが同じでなかの汁も同じ色、匂いも変わりがあるようには思えません。

とつぜんタイプの音がきこえ、三人がふりかえると、フクロウがキイをつついています。

――ナメテミロ。

三人は顔をみあわせました。

――アマヨモギナラ　アマイ。

「月光草だったら、たいへん」

「月光草なら、毒薬」

ふたごが叫びました。

――ドクデワナイ。ボクワ　ナメテミタ。ゲッコウソウワ　ウサギガ　タベル
トコロオ　ミタコトガ　アルカラネ。スコシニガイダケ。マジョニダケ　キクラシイ。

「わかった。なめる」

ふたごのひとりが、いっぽうのびんの汁を指先につけて、なめてみました。

「あまい！」なめたとたんに目をいっぱいにひらいて、にっこり笑いました。「こっちがアマヨモギ。あまくて、おいしい！」

よっぽどおいしかったのでしょう。もうわかったというのに、もういちど指につけてなめました。タイプの音がしました。

――アマリナメルト　ネムクナル。

「わかった。もうよす」

そういってもういちどだけ、指につけてなめました。

「ミルクったら」

もうひとりがびんをとりあげ、スキッパーにわたしました。

スキッパーはフクロウに、ちょうどいいところでしらせてくれるようにたのみ、ココアのなかにすこしずつ、アマヨモギの汁をたらしていきました。フクロウはすぐに「ホホッホ」と鳴きました。

「いま、ストップっていったの？」

フクロウはうなずきました。ほんのすこしでよかったのです。

シナモンは、月光草のほうのびんをとりました。

「こっちは、わたしがポケットにいれておく」

スキッパーは、どちらがミルクでどちらがシナモンかわからなくなったら、こまることになるのではないかと、心配になりました。そう思ってふたりをみくらべると、全然表情がちがいます。顔つきは同じなのですが、ミルクのほうはとろんとした顔をしているのです。シナモンも気づいたようでした。

「ミルク、あんた、ねむいんだ」

「らいじょうぶ」

ミルクはふにゃっと笑顔をつくりました。

7　たしかにポットさんのココアだわ

ランタンを片手に、そしてアマヨモギいりのココアをいれたポットをもういっぽうの手にもったスキッパーが、湯わかしの家にやってきたのは、十時ごろでした。

タイプライターをもったふたごとフクロウは、家のそばの木のかげにかくれています。

ランタンを下においてドアをノックすると、トマトさんが走ってくるのがきこえました。

「ポットさん！　あなたなの？」

ドアをあけて、そこにたっているのがスキッパーだとわかると、トマトさんは肩をおとしました。

「スキッパー……。あなただったの。どうしたの？　いまごろ」

トマトさんはつかれきった顔をしていましたが、スキッパーに笑顔をみせ、なかにいれてくれました。スキッパーはランタンの火を吹き消して、フクロウが教えてくれたとおりのことをしゃべりました。

「あのう、ふしぎな夢をみたんです」

「ふしぎな夢？」

トマトさんはスキッパーをいすにすわらせて、ちらっとスキッパーがもっているポットをみました。

「うとうとしていたら、夢のなかにポットさんが出てきて、自分が無事なことをトマトさんにしらせてくれっていうんです」

「まあ！」トマトさんは片手で口をおさえました。「どうしてわたしの夢に出てきてくれないんでしょう」

「で、ポットさんはこういったんです。きっとトマトさんは心配して眠ることもできないにちがいない」

「そうだわ」トマトさんはうなずきました。「わたしの夢に出てきてくれないのは、わたしが眠ってないからだわ。それで？」

「トマトさんにはときどきココアをいれてやっていた」

「そうよ、そうよ」

「ええっと、トマトさんはそのココアをのむと、いつでもぐっすり眠ることができる」

「スキッパー……。それ……、それ、ほんもののポットさんよ。なんてふしぎなんでしょう。あのココアはほんとうにぐっすりと眠れるの。そのことは、わたしとポットさんしかしらないことよ。ね、スキッパー。ポットさん、元気そうだった？　どうしてるっていってた？　どこにいるっていってた？」

「それは、あの、いってはくれませんでした」

　スキッパーは、トマトさんのことをほんとうにきのどくに思いました。

「そう。でも、無事だっていったのね。それで？」

「そのココアのつくりかたを教えるから、そのとおりにつくって、トマトさんにのませてやってくれ、そういったんです。で、ええっと、その、そうです。そういって教えてくれたとおりにつくったのが、このココアなんです」

「まあ！」

「あの、あたためます」

　スキッパーが調理台にポットをもっていくと、調理用ストーブは、火が消えていました。きっとなにも食べていないのでしょう。マッチと火をつける柴か小枝をさがしていると、トマトさんが自分で火をつけ、ポットのココアをなべにうつしました。

「ほかにはなにかいっていた？」

「いいえ、あ、はい、あの、きっともどるから、心配しないでぐっすり眠れって。それで全部です」

「そう。でも、なんてふしぎなんでしょう。夢のなかに出てくるなんて。スミレさんもふしぎなことをいうけれど、あなたもふしぎ」

　そうだ。スキッパーはスミレさんのことばを思い出しました。青鉛筆の円のなかにいるといったのは、ほんとうだったのです。あのときポットさんはウニマルにい

たのですから。

「そうですね。スミレさんも正しかったんですね」

スキッパーは、思わずそうつぶやいて、はっとしました。ポットさんがどこにいるかは、スキッパーはしらないはずだからです。トマトさんは、え？という顔でスキッパーをみました。

「いえ、あの、地図の円のなかにあるウニマルで、その、ぼくが夢をみたわけですから」

なんだ、そういうことかと、トマトさんはうなずきました。スキッパーは背中に汗が出ているのを感じました。よけいなことはいわないでおこうと思いました。そしてだまって、かすかに湯気のあがりはじめたココアをみていると、トマトさんがふたつのカップをとりだしてきたので、どきっとしました。

「あ、あの、これは全部、トマトさんのぶんです」

「いいじゃないの、半分ずつにしましょうよ」

「いえ、あの、ポットさんがそういったんです。いや、すすめられたらことわれ、なんていったわけじゃないんですが、その、とにかく、これは、トマトさんのぶんです」

「でも、ポットさんのココア、おいしいのよ」

「ええ、はい、ああ、ぼく、さっきのんだんです。だから、もういいんです」

「そう？　なんだか悪いわね」

スキッパーは、あたたまったココアをトマトさんのカップに全部そそぎました。

そしてテーブルにはこびました。

「どうぞ、のんでください」

いすにすわったトマトさんは、カップをもって、香りをかぎ、目を大きくして、いやいやをするみたいに首をふりました。

「この匂い。たしかにポットさんのココアだわ」

そして、ひと口すすりました。

「まちがいないわ。この甘み、ポットさんの味よ。なんてふしぎなんでしょう」またひと口すすりました。

「そうだわ。ポットさんたら、毎年六月ごろに思い出したようにココアをつくってくれるんだわ。それも三日つづけたりしてよ。へんでしょ」

トマトさんのむかいの席にすわったスキッパーは、どんな顔をすればよいかわからず、テーブルの板の木目をみたまま、あいまいに笑って肩をすくめました。

ひと口ずつココアをすする音がきこえます。しゃべらなくなったな、と思ってスキッパーがそっと目をあげると、トマトさんの目はカップでかくれていたのですが、ほおにひとすじの涙がみえました。みてはいけないものをみたような気がして、スキッパーはあわててテーブルに目をもどしました。なんだか胸がどきどきしました。

やがて、規則正しい息がきこえはじめ、やっとスキッパーは目をあげることができました。トマトさんは、いすにもたれ、胸のところにカップをだきしめたまま、ねむっていました。

スキッパーはそっとたちあがり、外でまっているふたごとフクロウをよびにいこうとしました。が、思いなおして、トマトさんのそばにもどりました。そして、そっと、手のなかからカップをとりあげ、ハンカチでほおの涙(なみだ)をぬぐいました。

それから、ドアをあけて、外にむかって手をふりました。

8 教えてくれなくちゃいけないよ

壁の時計の音が、スキッパーにはとても大きくきこえるような気がします。やがて十二時です。

いすごとロープでぐるぐるまきにされて眠りこんでいるトマトさんを、三人と一羽は、すこしはなれてみまもっていました。スキッパーとシナモンと、とろんとした目のミルクはいすにすわり、フクロウはテーブルの上です。フクロウの目の前には、ウニマルからもってきたタイプライターが、紙をセットしておいてあります。

時計に目をやったシナモンが、おしころした声でいいました。

「十二時」

その声がきこえたように、眠っていたトマトさんのまぶたがかすかに動き、ぱちっと目がひらきました。

スキッパーは息をのみました。トマトさんの、あのやわらかい顔つきとは、まったくちがう表情になっています。トメイトウがあらわれたのです。魔女らしいおそろしい顔ではありません。目鼻やりんかくが、とつぜんきりっとした感じになったのです。

トメイトウはすばやくまわりに視線を走らせ、たちあがろうとし、自分がしばられていることに気づき、みるみるまゆをつりあげ、ほおを赤くしました。そのとたん、トメイトウがおこすかもしれない風にそなえてしめきっていたガラス窓の外が、かっと光に浮かびあがり、すさまじい雷鳴がとどろきました。三人はふるえあがりました。ほんものです。ほんものの魔女です。スキッパーの胸はどきどき音をたてはじめました。

気を静めるようにトメイトウは三人の顔を順にみていきました。空が、ごろごろと鳴っています。ぐっととじられたくちびるが、怒りをこらえているようです。と、そのくちびるが、テーブルの上のフクロウをみたときに、ふっとゆるみました。そして、こらえきれずに笑いを爆発させました。笑いにあわせて、連続していなびかりと雷鳴が家をつつみました。

怒りから笑いへと激しく変わったトメイトウを、スキッパーたちは、あっけにと

られてみまもるばかりです。

まだ笑いののこっているトメイトウが、フクロウにいいました。

「ジバシリフクロウ、どうしてあなたはそんなにこっけいなの。あなたをひと目みるだけで、とらわれの身になっていることも忘れてしまい、笑いの国からうちよせる波に心がひきこまれてしまうのは、これはいったいどういうことなのかしら」

トマトさんの声より低くて、はりのある声でした。ささやく調子でしゃべっているのに、湯わかしの家のすみずみまでひびいていくようなのです。それにもまして、トマトさんならぜったいにこんないいまわしはしないはずの、まるで芝居の役者のようなことばの流れに、三人は口をはさむことができません。

「でも、このジバシリフクロウは、ただのフクロウではないようだわ。悪だくみをする道化師のように、ひょうきんな顔をしていてなにかとてつもないいたずらを考えついたにちがいない。そう、たとえばこのわたしを悪さをする魔女かなんかだと、この三人の子どもたちにいいふくめて、わたしをいすにしばりつけさせたのにきまってる」

そこまで、ひとりごとのようにしゃべっていたトメイトウは、とつぜんスキッパーににっこりと笑いかけました。それは、とても心をひかれる笑顔でした。

「男の子、名前はなんていうの？」

スキッパーは、こたえてしまいそうになって、思いとどまりました。こたえないほうがいいような気がしたのです。

「いいたくなければいわなくてもいいの。名前なんかどうでもいい。なんとよばれようともライオンはライオン。その気高さにはかわりはない。あなた、かしこそうな顔をしている」

トメイトウは、とろけるような笑顔をスキッパーにむけたあと、ふたごに目をうつしました。

「ふたりの女の子たち。まあ、なんてふたりはそっくりなんでしょう。サクランボのふたつの実のよう。そしてなんてかわいいんでしょう。そのやわらかいほおをこの手でなでることができればねえ」

　そういって、心から残念そうに、そしてふたりのことをいとおしそうに、ほほえみながら首を左右にふってみせました。そして三人にいいました。

「どうしてわたしはしばられているのかしら。きっとフクロウがそうしろとあなたたちにいったのね。でも、ほんとうにわたしをいすにしばりつけることがいいことだったのかしら。ねえ、考えてみて。わたしがいったいなにをしたっていうの？　あなたたちになにか悪いことをした？　あなたたちはこのフクロウのいったことを信じて、わたしをしばりつけてしまったのでしょう？　さあ、いってみて、わたしがなにをしたって、このフクロウはいったの？」

「このひとを、フクロウに変えた」

　シナモンがきっぱりといいました。スキッパーもミルクもうなずきました。意外にも、トメイトウまでうなずきました。

「ええ、変えたわ。それが、そんなにいけないことだったっていうの？　いい？

このひとの前の姿をみて、だれか笑った？　だれも笑わなかった。そうでしょ、あたりまえのひとだったんだもの。でもいまなら笑える。この姿になることで、ひとを楽しくさせることができるようになったのよ。それって悪いことなの？　それとも、あなたたちはこの鳥をみて笑わなかったっていうの？」

　三人は思わず目をそらしました。

「ほら、笑ったんじゃない。ね、わたしとあなたたちは同じなのよ。楽しくなるって悪いことじゃない。ねえ、楽しくなるのがいけないことなの？」

「でも、このひとは楽しくない」

「楽しくない？　そうかしら」トメイトウはシナモンにほほえみかけていいました。

「ひとを楽しくさせることを楽しむようにならなくちゃいけないわ」

　とつぜんタイプの音が鳴りはじめました。フクロウがキイをたたいているのです。

「なんなの？　なにをしているの？　まあそんなにからだをひょこひょこさせて、みんなを笑わせようと、踊っているの？」

トメイトウはそういいながらも、笑ってはいませんでした。トメイトウのほうからはタイプの文字が読めないので、いらいらしているのです。三人がたちあがってのぞきこむと、フクロウはこうタイプしていました。

――ジカンノ　ムダ。

そうです。おしゃべりをしている場合ではないのです。

「このひとをもとにもどす方法を、教えてほしい」

シナモンがいいました。

「なんだ、そういうことだったの。それならそうとはやくいってくれればよかったのに。かんたんなことよ。このロープをほどいてちょうだい。すぐにもとにもどしてあげる」

「ほどいたら、どうやってもとの姿にもどすの?」

シナモンがたずねました。

「わたしが、この手でフクロウをだきしめるの」トメイトウは、あっさりとこたえました。「あなたたちはしらないと思うけれど、わたしはきのうの夜、なんどもこの鳥をだきしめてあげようとしたのよ。そうよ。もちろん、もとの姿にもどしてあげようとしてね。でもこの鳥ったら、わたしがだきしめようとするたびに、大あわてで逃げだすじゃない」

三人と一羽は顔をみあわせました。トメイトウがフクロウをつかまえようとしたのは、ほんとうのことだったからです。フクロウはタイプライターにむかいました。

――ゲッコウソウデ　ホントカドウカ　タズネテミテクレ。

シナモンはうなずいて、ポケットから、茶色の小びんをとりだしました。

「これ、なんだか、わかる？」

「さ、さあ、なにかしら」

「ふたをあけると、わかる」

シナモンは、コルクのふたをねじってとりました。とった瞬間、トメイトウが悲鳴をあげました。すごいいなびかりと金属的なひびきの雷鳴が、何度も何度もつづ

き、三人はからだをすくめました。

「な、なんて、なんてことを、するの……」

トメイトウは大きく胸を上下させて、あえぎました。シナモンはくちびるをかみしめて、びんを片手に、一歩、トメイトウに近よりました。

「こ、こないで！」

「手だけ自由にさせてあげる。そして鳥をだかせてあげる。それでもとの姿にもどらなければ、これをふりかける」

「わかった。いまのはうそ。ちょっと冗談をいってみたの。だからもっとむこうにいって！」

スキッパーは、ただただ、おどろいて感心するばかりでした。なんてシナモンは勇気があって、かしこいんだろう。それに月光草のききめはなんてすごいんだろう。それから、トメイトウはなんてうまいうそをついたんだろう。

すこしうしろにさがって、シナモンがいいました。

「もとにもどす、ほんとうの方法は？」

「ちょっとまって。いうから、そのびんにふたをして」

トメイトウは、すこしでもびんからはなれようと顔をそむけて、あえぎながらいいました。シナモンはコルクでふたをしました。トメイトウは、まだ顔をしかめながら、大きく息をつきました。

「あんた、かわいい顔をしてるのに、ほんとにひどいことをするのね。でも、もしもわたしを自由にしてくれれば、もっとかわいくしてあげられるのに」

シナモンがなにかいおうとする前に、トメイトウはとても早口で、ことばをつづけました。

「まず、その髪をもっとやわらかく、そしてもっと長くしてあげることができるわ。もしも、のぞめばね。それから、いま着ている服もすてきだけれど、もっとすてきなドレスにしてあげることもできるのよ。そよ風よりも軽くて、まるで身にまとっていないように楽に動けて、星がいっぱいきらめいているの。それとも虹がいい？

色は白？　黒？　夜よりも黒いやわらかなドレスはどう？　まっ黒のなかに、みる角度によれば炎があがるもようがあるのなんてすてきよ。それも黒い炎なの。そう、それから、その姿で空を飛ぶ翼を背中につけるというのはどうかしら。服と同じ色の翼。いいえ、蝶の羽のようなほうがいいわ。すきとおった羽。レースの羽。それにも同じもようをつけるのがいいわね」

「そんなことは……」

シナモンがさえぎろうとしましたが、トメイトウはもっと早口でしゃべりつづけました。

「夜の森を飛ぶのってきっとすてきよ。月の光を浴びた森は海の底のようにみえるわ。あなたたちは海を泳ぎまわる魚の気分よ。そんなのたいくつ？　たいくつならいなびかりで照らしてあげる。海の底のような森が光につつまれるわ。おのぞみなら風もおこしてあげる。風にのって矢のように飛ぶの。風をつかまえれば、想像もできないほど高いところまでのぼることもできるわ。雲よりも高くのぼれば星がいっぱいみえるのよ」

「フクロウをもとにもどす方法を」

「そんなに高いところから急降下して、もとのところにもどるのってとってもすてきよ」

「きいてるのよ」

「耳にきこえるのは風を切る音だけ。女の子の髪の毛はちぎれそうになびくわ」

「あんたたちもなにかいって」

これはミルクとスキッパーにいったのです。でもトメイトウは息もつかずにしゃべりつづけています。

「それともそんなにはげしいのはきらい？　それならゆっくり飛びましょう。それがいいわ。湖の上を飛ぶの。水面に、月と飛んでいる自分の姿がうつるわ。翼をつけて飛ぶのがいやなら、いすに翼をつけてあげる。それとも机？　ベッドもいいわね。花もようの服を着て、花もようのベッドで飛ぶの。だいじょうぶ。ゆっくり飛ぶから。そう、飛ぶ前にお化粧をしてあげる。あなたたちいまのままでもかわいいけれど、お化粧をすれば王子様とお姫様になれるわ」

「なんておしゃべりな魔女。ねえ、あんたたちもなんとかいって」

シナモンのはさむことばはトメイトウにはきこえないようすで、それどころかますます早口にしゃべりつづけるのです。

「夜の森の上を、ふんわり浮かんだベッドにねころんで、下をみおろしながら飛んでいくの。そうだわ。音楽がいるわね。ベッドに歌わせる？　それもいいけど、虫たちに演奏させるほうがいい？　それじゃあたりまえすぎる？　石ころを七つか八つベッドにのせて、石ころの演奏はどう？　いや、やっぱり花ね。花のオーケストラがあなたたちなら好みね」

とつぜんトメイトウがからだをかたくしたのは、シナモンの手から月光草のびんをとって、ミルクがトメイトウにふらふらと近づいたからです。

流れ出るトメイトウのことばに、ただたちつくしていたスキッパーは、ミルクもすごい、と思いました。ねむいはずなのに、なんとかしようというのです。

「な、なにをするの？　わたしはただ、こんなこともしてあげることができるって、ちょっとだけお話していただけじゃない。わかってる。わかってるってば、あなたたちのききたいことは、ひっ」

ミルクがびんをトメイトウの顔の前までもっていきトメイトウはのけぞって顔をそむけました。

「わたしのききたいことは」ミルクがねむそうな声でいいました。「ろうすれば空を飛べるようになるかってこと。教えてちょうらい」

スキッパーとシナモンは顔をみあわせました。フクロウがあわててタイプを打ちはじめました。

「なんだ、そうだったの。それならかんたんよ。いい？　教えてあげる」

トメイトウはびんからもっと顔をそむけるようにして、かすかに笑いを浮かべました。そのとき、家をゆすって、すごい風が吹きました。

——チカクニ　イカナイホウガ　イイ。

スキッパーとシナモンがタイプの文字を読んだのと同時に、トメイトウはびんをもつミルクの手に、自分の頭をぶつけていました。

「ああっ！」

声をあげたのはシナモンです。ガラスの小びんはミルクの手をはなれ、ストーブにぶつかりました。ガラスが割れ、月光草の汁がまわりにとびちりました。ミルクがよろよろとたおれそうになるのを、スキッパーがだきかかえました。

すさまじい雷鳴といなびかりと風がおこり、トメイトウは笑いを爆発させました。

「なんておばかさん！　あんたかわいい子ねえ。もしもふたをあけていれば、わたしだってこんなまねはできなかったのに」

そこまでいって、とつぜんトメイトウは顔をしかめました。

「ああ、すごい匂い！　鼻がまがってしまいそう。でも、トメイトウはがまんする。もうこわいものはない！　フクロウはもとの姿にもどれない！　さあ、ジバシリフ

クロウ、踊ってごらん！」

　おかしくてたまらないトメイトウは、いすをゆすって笑いつづけました。三人と一羽はぼうぜんと、笑うトメイトウをみるばかりでした。

「さあ、このあとはなにをして遊ぶの？」

　トメイトウはくっくっと笑ったり、匂いに顔をしかめたりしながらいいました。フクロウは力がぬけたようにうずくまっています。シナモンは、なんてことをしたの、という目でミルクをみています。

　スキッパーは、まだミルクをだきかかえたままだったことに気づいて、手をはなそうとしました。するとその手が、なにかかたいものにさわりました。それがなんだか、スキッパーには、すぐにわかりました。わかったとたんにひとつの考えがひらめきました。ひらめいたとたんに、からだじゅうに汗がふきでるのを感じました。ミルクをだきかかえたまま、ごくんとつばをのみこんで、スキッパーはいいました。

「ト、トメイトウさん」

「なあに、男の子」

「も、もしも月光草のびんが割れなかったら、フクロウを、もとの姿にもどす方法を、教えてくれたんですか？」

「ねえ、男の子、わたしはね、もしもとか、たらとか、とっても好きなの。ありもしないことを考えることができるからね。だからいってあげる。もしも割れていなかったら、教えていたでしょうねえ。なんて残念なんでしょう、ジバシリフクロウさん」

トメイトウはさいごのところでフクロウをみて、おかしくてたまらないように笑いました。

「ねえ、こたえてあげたお礼に、しばっているロープをほどいてちょうだいなんていわないから、窓をあけてこの匂いを外に出してくれないかしら」

「ま、窓はあけないよ、トメイトウさん。それよりも、フクロウをもとの姿にもどす方法を、教えてくれなくちゃいけないよ」

スキッパーは、ミルクのポケットのなかに右手をつっこんで、もうひとつの茶色の小びんをとりだしました。

トメイトウの顔から笑顔が消え、その目と口が大きくひらき、息が荒くなりました。

「それ……」

いいかけたミルクの口をスキッパーは左手でふさいでつづけました。

「トメイトウさん、ぼくは、あんまり近づかないようにするよ。遠くからでもふりかけることはできるからね」

「び、びんをふたつ用意していたなんて……なんて悪がしこい……」トメイトウは複雑に表情を変化させながら、それでも必死にことばをさがして、ほほえんでみせました。「ね、おもしろいものをみせてあげる。もしも」

シナモンにミルクをまかせると、スキッパーはゆっくりストーブのほうにまわりました。

「もしも、は、もういいんだ、ぼく」

トメイトウはほほえみをなくし、口をぱくぱくさせるばかりです。スキッパーは月光草の汁のとびちったあたりでたちどまると、びんのコルクをとりました。

「このあたりからでも、ふりかけることはできると思うな」

そしてゆっくりと手をうしろにひいて、ふりかける動作にはいりました。

「やめて！　やめてよ！」

いなびかりと雷鳴のなかでトメイトウは叫びました。

「いう！　いう！　ふくろうをもとにもどす方法は」

「方法は？」

スキッパーは動作をとめました。

「だれかがフクロウのために、悲しみの涙を流せばいい。それでもとの姿にもどる」

トメイトウは早口でそういいました。

「もしも、それもうそだったら？」

スキッパーはもういちど大きく手をうしろにひきました。

「ほんと。ぜったいにほんと。これはうそじゃない！」

「そうかな」

スキッパーはその手を前にふりました。びんの口から草の汁がとびちって、トメイトウのひざにかかりました。トメイトウの悲鳴はすさまじい雷の音できこえません。ただ口が大きくあいただけにみえました。

はげしくつづく雷鳴といなびかりのなかでフクロウが、タイプをたたいています。スキッパーはトメイトウに近づき、大きくあけた口をめがけてびんの汁をふりこみました。

とっさに口をとじましたが、おそすぎました。すばやく口のなかにはいった汁をはきだそうと口をすぼめたトメイトウは、とつぜんふしぎそうな表情になりました。雷鳴がぴたりと止まり、静かな部屋に、トメイトウの声がきこえました。

「あ、あまい……？」

「だいじょうぶだよ、トメイトウさん。これは月光草の汁じゃなかったんだ。びんは同じだけれどね」

「だましたのね！」トメイトウはスキッパーをにらみつけました。

「この部屋のなかの匂いさえなければだまされることはなかったのに！　ええい、くやしい！」

そういったあとで、きゅうににやりと笑いました。遠くで風が木をゆすりました。

「でも、おまえたちがうまくいったと思えるのは、そのフクロウをもとの姿にもどせたとき。ねえ、おまえたちにできるのかしらねえ。さあ、できるものならやってごらん！」

「トメイトウさん」シナモンがいいました。

「このフクロウがさっき、なにをタイプしたかいってあげる。ヤメテクレ、フリカケナイデクレ。そうタイプした」

トメイトウは、ふしぎそうにフクロウをみました。その目がとろんとしています。

「そ、それ、ろういうこと？」

「あんたのことを心配した、ということ」

足を投げだし、翼で目をおおってすわりこんでいたフクロウは、あわててたちあがると、タイプしました。

——ボクモ　ダマサレテイタ。

そしてスキッパーをみて首をふりました。

「それ、ろういう、ころ……」

トメイトウは、がくんと首を前にたれ、いびきをかきはじめました。

シナモンは、まだとろんとしているミルクをみていいました。

「アマヨモギのびん、もってきてたの？」

ミルクは、目を細めて笑うと、スキッパーの手のびんをとり、どれだけのこっているかたしかめてふたをしました。

「これ、おいしいのらもの」

シナモンはびんをポケットにいれるミルクをみて、肩をすくめました。それから
スキッパーをみて、にっこり笑いました。
「スキッパー、頭いいい！」
スキッパーは、まだ胸がどきどきしていました。けれど、それはかくして、へへ
と笑いました。
「さあ、ポットさんをもとにもどそう」

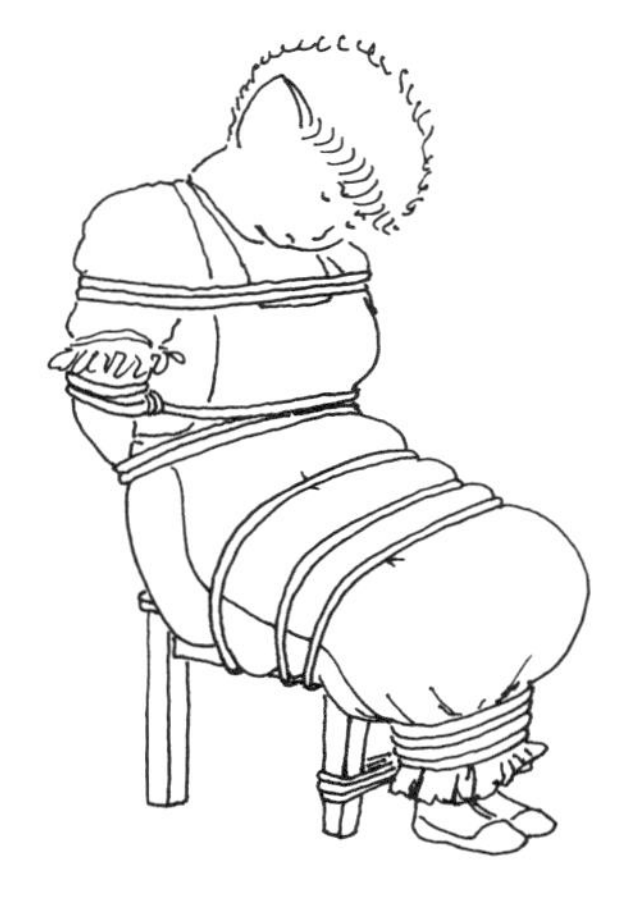

9

夢(ゆめ)のなかのことにするんだ

おまえたちにできるのかしら、とトメイトウはいいました。そのことばの意味は、やがて三人にもわかりました。

フクロウのために悲しみの涙を流す、それがどれほどむずかしいことか、やってみてわかったのです。

まずシナモンがやってみようとしました。テーブルの上にフクロウをすわらせて、前のいすにすわったシナモンは、大きく目をひらき、かわいそうなポットさんのことを思い、いっしょうけんめいに涙を浮かべようとしました。けれど、やはりいっしょうけんめいにシナモンをみているフクロウの顔と目があうと、どうしてもぷっとふきだしてしまうのです。

スキッパーもだめです。笑ってしまいます。ミルクは目に涙を浮かべるところまではできました。けれどそれは眠くてあくびをしたからです。

――カオオ　ミセナイヨウニ　スル。

フクロウはそうタイプを打って、むこうをむいてすわりました。でもその動きでもう三人は笑ってしまいました。どうしても涙を流すことができません。むこうをむいたフクロウがどんな顔をしているのか、想像してしまうと、もうだめです。

考えてみればむりもありません。朝から一日中森を歩きまわっていて、びっくりする話をフクロウにきかされ、雷と風におどされながらトメイトウと対決したのです。ここまでは緊張に心がはりつめていました。けれど、もとにもどす方法がわかり、トメイトウは眠ってしまい、緊張がゆるんでしまったのです。おまけに疲れがあります。ふだんなら眠っている時間なのです。

いったんだれかが笑ってしまうと、笑いはほかのふたりに伝染し、昼間なら笑わなかったことにさえ、身をよじって笑ってしまうのです。三人は、最後の力を笑うことで使いはたしてしまった感じでした。

「ごめんね、ポットさん」

スキッパーは、ようやく笑いがおさまって、なんだかぼうっとしながらあやまりました。悪いと思うのですが涙を流せません。もうつかれきってしまいました。

「ちょっと休んだら、もういちどやってみる」

シナモンはそういって、テーブルにもたれました。それをみてミルクも同じかっこうをしました。ミルクのほうはその姿勢になったとたん、寝息をたてはじめました。

スキッパーもテーブルの上につっぷしました。眠気がおそってくるのがわかりました。眠りにひきずりこまれながら、タイプライターの音がしているような気がしました。


すこしうとうとしたと思ったら、頭をこつこつとたたかれて、スキッパーは目をさましました。フクロウがおこしたのです。

もうすこし眠らせて、といおうと思って、窓のそとがぼんやりと明るくなっているのに気がつきました。たいへんです。もうすぐ夜明けなのです。スキッパーは、シナモンとミルクをゆりおこしました。

タイプライターの紙に、フクロウのことばがタイプされています。それにはこう書かれていました。

――トメイトウノコトワ　ゼッタイニ　トマトサンニ　ナイショニシテクレ。トマトサンノ　メガ、サメナイウチニ　ロープオ　ホドイテ　ワレタビンオ　カタズケテ、ココオ　デヨウ。タイプノカミモ　ノコサナイデクレ。コンバン　モウイチド　トメイトウニ　ベツノホウホウオ　タズネヨウ。ベツノホウホウガ　アルトオモウ。

そこで紙が終わっていました。三人は顔をみあわせました。

「でも」シナモンがねむそうな目でいいました。「トマトさんなら、涙を流せるかもしれない」

スキッパーが新しい紙をセットすると、フクロウはタイプを打ちました。

――ダメダトオモウ。トマトサンワ　ワライジョウゴナンダ。

「わらいじょうご?」

シナモンがあくびをこらえて首をかしげました。

――スコシノ　コトデモ　トテモヨク　ワラウヒト　ナンダ。ホカノヒトニワラワレテモ　ガマンスルケド　トマトサンニダケワ　ワラワレタクナイ。ワカッテクレ。ヨアケガ　チカイ。イソイデクレ。

フクロウはタイプを打ったあと、三人に何度も頭をさげました。その動きを、三人は笑えませんでした。眠気とつかれと、このあとの一日のすごしかたを考えると、笑えなかったのです。このあとウニマルにもどってすこしだけ眠ると、またここにやってこなければなりません。そしてトワイエさんたちといっしょに、みつかるわけのないポットさんをさがすのです。夜になればトマトさんを眠らせて、トメイトウとまた対決しなければなりません。でも、このうんざりする仕事を、三人でやらなければならないのです。

「わかった」

スキッパーはそういいながら、タイプの紙をはずして、折ってポケットにいれ、タイプライターをケースにしまいました。ふたごは、割れたびんをかたずけました。それから三人で、トマトさんをいすにくくりつけていたロープをほどきました。もうトメイトウの表情ではありません。おおらかなトマトさんの顔で眠っています。

スキッパーがロープを二階の物置にしまいにいき、もどってくると、ケースにいれたタイプライターとランタンをもったふたごとフクロウは、もう長いテーブルのドアの近くのあたりでスキッパーをまっていました。

スキッパーはドアのほうへいきかけて、あごをうずめて眠るトマトさんの手が、だらんと両わきにたれているのに気がつきました。きゅうにきのうの夜の、ココアを飲んだときのトマトさんのことが思い出されました。両わきに力なくたれた手は、スキッパーにはとてもつらくみえました。そこでそっと近づくと、手をひざの上においてあげました。

そのとたん、トマトさんの手が、スキッパーの手をしっかりとつかみました。スキッパーはあやうく大声を出すところでした。かわりにトマトさんが叫びました。

「ポットさん！　もどってきたの？」

あわててスキッパーがドアのほうをみると、ふたごとフクロウの姿はみえません。ちらっとふたごの服がテーブルのむこうのいすのあいだにみえました。身をふせたらしいのです。

「ト、ト、トマトさん、ぼ、ぼくです」

「まあ、スキッパー、あなただったの。そう、あなただったの」

トマトさんはふしぎそうにスキッパーをみました。

「……ずっと、ここにいてくれたの？」

「いいえ、そういう……」

「でも、ポットさんよ！」

「え？」

「ポットさんが、もどってきたのよ！」

「ト、トマトさん……」

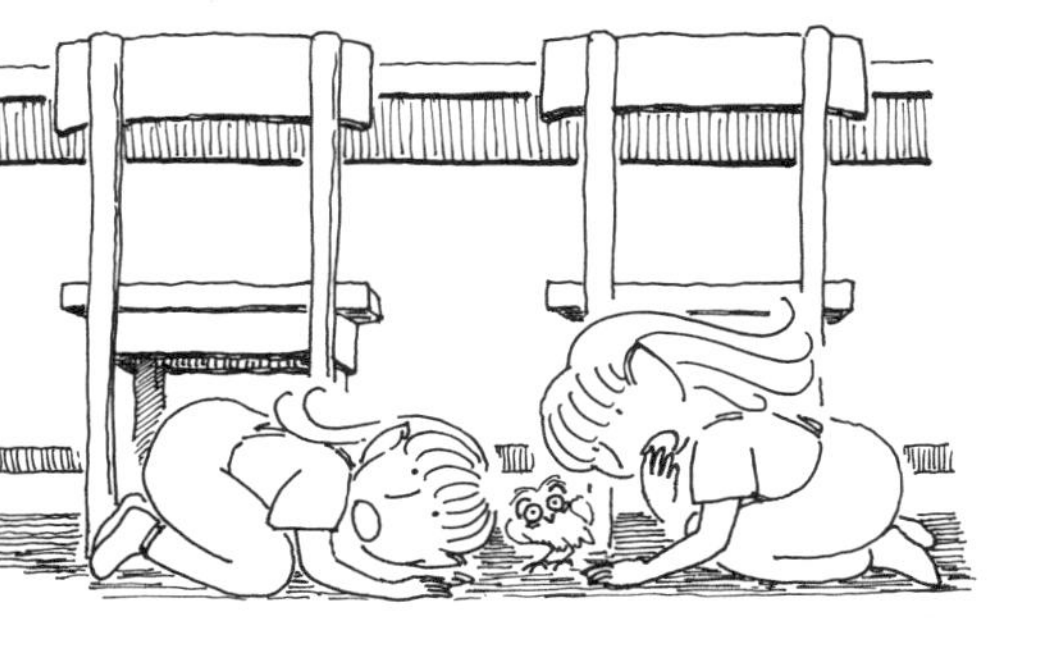

「わたしには、わかるの。いま、この家にポットさんはもどってきているんだわ」

トマトさんはたちあがりました。そしてあたりをみまわし、二、三歩歩くと、テーブルのむこうで小さくなっているふたごの姿をみつけました。

「まあ、あなたたち、どうしてそんなところにかくれているの？　それより、ポットさんはどこにいるの？」

ふたごは思わず、あいだにかくれているフクロウをみました。フクロウは、おびえたように足をすくませて、近づいてくるトマトさんをみあげました。

フクロウをみたとたん、トマトさんの表情はゆるみました。スキッパーはトマトさんの手にふれたことを心の底からくやみました。

「ト、トマトさん、ちがう。このフクロウは……」

「そう、このフクロウは……」

あわてていいつくろいかけたふたごは、なんといっていいか、つづきのことばがみつかりません。ああ、だめだ、トマトさんは笑うぞ、とスキッパーは思いました。

けれど、ゆるみかけたトマトさんのほおは、ぴたっとこおりついて、やがてゆっくりと、とまどいの表情が浮かびました。

「そんな……」

そういって、いやいやをするように顔を左右にふって、くちびるをふるわせました。

「でも……、まさか……、こんな鳥が……、でも……」

フクロウも、口を半開きにしてトマトさんをみあげています。スキッパーはこのとき、トマトさんは笑わない、と思いました。そしてひらめいた思いつきに、トメイトウをだまそうと決心したときのように胸がどきどきしました。でも、あのときと同じように、ためらいませんでした。

「そ、そうなんです、トマトさん。そのフクロウが、ポットさんなんです」

え、とふたごがスキッパーをみて、トマトさんは、

「やっぱり……」

と、床にひざをつきました。

「どうしてこんな姿になってしまったの？」

トマトさんはフクロウに手をさしのべ、そっとだきました。

「ああ、ポットさん」

トマトさんの目に涙があふれ、流れました。その瞬間、フクロウのまわりの空気がゆらりとふるえ、トマトさんは、茶色っぽい上着と、黄色っぽいズボンのポットさんとだきあっていました。


そのあとポットさんは、いったいどういうわけでこんなことになったのかたずねたがるトマトさんに「話はあと、話はあと」といいながら、みんなにお茶をいれてくれました。お茶ならわたしがいれてあげるというトマトさんを無理にすわらせて、ポットさんは、どうしても自分がいれたい、自分がいれたお茶をみんなで飲みながら、わけを話してあげると、いいました。お茶をいれるとポットさんはふたごのほ

うをみて、

「ミルク」

と、よびました。ミルクはポットさんを手伝って、五人ぶんのカップをテーブルにはこび、五人でお茶をのみました。話をききたがるトマトさんに、あれこれべつのことをポットさんが話しているうちに、トマトさんは眠ってしまいました。ミルクがもっていたアマヨモギの汁をトマトさんのカップだけにいれたのです。

「よし、これでいい」ポットさんはうなずいて、小さな声で三人にいいました。

「いいかい、いまおこったことはみんなしらなかったことにしてほしいんだ。全部トマトさんの夢のなかのことにするんだ。きのうの夜、スキッパーがやってきたところまでがほんとうのこと。ね。ぼくはなにもかもわからなくなって、森のなかをうろつきまわっていたんだ。そしてけさになってとつぜん記憶をとりもどしてここにもどってきたことにする。鳥になんかならなかったんだ。それでいこう」

「わたしたち、きょうの朝、もういちどここに集まることになってる」

「もういちどここにきて、わたしたちもポットさんをみてびっくりする」

ふたごがいいました。

「いや、もうこなくていい。家でゆっくり眠ってくれ。ああ、帰り道でトワイエさんと、ギーコさんとスミレさんの家によって、きみたちが早起きしてここにきたら、ぼくがもどっていた、心配してくれてありがとうっていっていたって、伝えてくれないか」

そういったあとでポットさんは、思い出したようにたずねました。

「きみたち、レモンとアップルじゃなかったっけ?」

「わたしたち名前を変えた。わたしはシナモン」

「わたしは、ミルク」

「なるほどね」ポットさんは首をふりました。

「自分のしらないうちに別の名前のひとになるひともいれば、自分の名前とちがう名でよばれるひともいる。そして自分で自分の名前を決めるひともいるってわけだ」

ポットさんはお茶をのみほしてたちあがりました。

「さて、ここにあるカップを全部洗ってもとの場所にしまって、テーブルにはきのうの夜のココアのカップをおいて、すべてもとの形にしておこう」

三人は、カップを洗うのを手伝いました。そしてなにもかももとの形にして、四人は湯わかしの家の戸口にたちました。スキッパーは荷物が多いので、ポットさんが送ってくれることになりました。

「シナモン、ミルク、つかれただろ。ほんとにありがとう」

ポットさんが、ふたごに頭をさげました。

「つかれたけど、おもしろかった」

「おもしろかったけど、なにもしらなかったことにする」

ふたごは笑顔でこたえました。そこで四人はふたくみにわかれて、それぞれの方向に森の小道にはいっていきました。

朝の森は、きのうと同じようにさわやかでした。ランタンとポットをもったスキッパーと、タイプライターをもったポットさんは、ならんで歩いていきました。

「スキッパー、おせわになったね、ほんとにありがとう。きのうの朝、きみに助けてもらおうと思ったのは、正解だったよ。トメイトウはきみのことをかしこそうだっていってていたけど、きみはほんとにかしこくて勇気があるよ」

ポットさんは、スキッパーにもお礼をいいました。

「でも、きみがびんの汁をふりかけようとしたとき、ほんとにぼくはおどろいたんだぜ」

そうそうあのときのこと、スキッパーは思い出しました。

「ポットさんは……」

「なんだい？」

「あのとき、やめろってタイプしたでしょ」

「うん」

「もしも月光草の汁だったら、トメイトウは死んじゃうの？」

「いや、死なないと思うな。ただ、魔女じゃなくなるんだと思うよ」

「魔女じゃなくなるといいんじゃないの？　どうしてやめろっていったの？」

ポットさんはすこし考えてからいいました。

「魔女じゃなくなれば、トメイトウはトメイトウじゃなくなるだろ。そうなれば、トマトさんもトマトさんじゃなくなるような気がするんだ」

スキッパーは、よくわかりませんでした。すこし歩いて、またたずねました。

「トメイトウは、ぼくのこと、うらんでるかな」

「さあ」ポットさんはタイプライターのケースをもちかえて、首をかしげました。

「あのひとは忘れっぽいからだいじょうぶだと思うよ。でも心配なら、夏至のころには月光草の汁をもっていればいいんじゃないか？」

あとのほうは、笑っていいました。

「でも、今晩、またトメイトウはあらわれるんでしょ」

「三日めだからね。トマトさんにアマヨモギのココアを忘れないようにするよ。ちやんとミルクからとりもどしたからね。でも、トメイトウのほうも、きみがのませたアマヨモギがまだきいていて、ねむったままかもしれないな。もし目がさめていたら、きみたちのことをうらんでないかどうか、さぐっておくよ」

「ひとりで、こわくない？」

「楽しませてもらうよ」

え、とポットさんの顔をみると、ポットさんはにっこり笑って、スキッパーに片目をつぶってみせました。

スキッパーは、ポットさんのいうことってほんとにわからないなあと思いました。

そして、大きなあくびをしました。

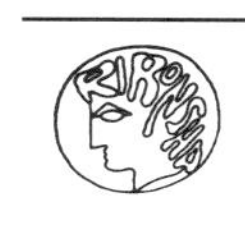

こそあどの森の物語②
まよなかの魔女の秘密

NDC913
A5判　22cm　192p
1995年4月 初版
ISBN4-652-00612-8

岡田 淳（おかだ・じゅん）
1947年兵庫県に生まれる。神戸大学教育学部美術科を卒業後、38年間小学校の図工教師をつとめる。
1979年『ムンジャクンジュは毛虫じゃない』で作家デビュー。
その後、『放課後の時間割』（1981年日本児童文学者協会新人賞）
『雨やどりはすべり台の下で』（1984年産経児童出版文化賞）
『学校ウサギをつかまえろ』（1987年日本児童文学者協会賞）
『扉のむこうの物語』（1988年赤い鳥文学賞）
『星モグラサンジの伝説』（1991年産経児童出版文化賞推薦）
『こそあどの森の物語』（１～３の３作品で1995年野間児童文芸賞、1998年国際アンデルセン賞オナーリスト選定）
『願いのかなうまがり角』（2013年産経児童出版文化賞フジテレビ賞）など数多くの受賞作を生みだしている。
他に『ようこそ、おまけの時間に』『二分間の冒険』『びりっかすの神さま』『選ばなかった冒険』『竜退治の騎士になる方法』『きかせたがりやの魔女』『森の石と空飛ぶ船』、絵本『ネコとクラリネットふき』『ヤマダさんの庭』、マンガ集『プロフェッサーPの研究室』『人類やりなおし装置』、エッセイ集『図工準備室の窓から』などがある。

作者　岡田 淳
発行者　内田克幸
発行所　株式会社 理論社
〒101-0062　東京都千代田区神田駿河台2-5
電話　営業 03-6264-8890
　　　編集 03-6264-8891
URL　https://www.rironsha.com

2021年8月第43刷発行

装幀　はた こうしろう
編集　松田素子

岡田　淳の本

「こそあどの森の物語」

●野間児童文芸賞
●国際アンデルセン賞オナーリスト

〜どこにあるかわからない“こそあどの森”は、かわったひとたちが住むふしぎな森〜

①ふしぎな木の実の料理法
スキッパーのもとに届いた固い固い“ポアポア”の実。その料理法は…。

②まよなかの魔女の秘密
あらしのよく朝、スキッパーは森のおくで珍種のフクロウをつかまえました。

③森のなかの海賊船
むかし、こそあどの森に海賊がいた？　かくされた宝の見つけかたは…。

④ユメミザクラの木の下で
スキッパーが森で会った友だちが、あそぶうちにいなくなってしまいました。

⑤ミュージカルスパイス
伝説の草カタカズラ。それをのんだ人はみな陽気に歌いはじめるのです…。

⑥はじまりの樹の神話
ふしぎなキツネに導かれ少女を助けたスキッパー。森に太古の時間がきます…。

⑦だれかののぞむもの
こそあどの人たちに、バーバさんから「フー」についての手紙が届きました。

⑧ぬまばあさんのうた
湖の対岸のなぞの光。確かめに行ったスキッパーとふたごが見つけたものは？

⑨あかりの木の魔法
こそあどの湖に怪獣を探しにやって来た学者のイツカ。相棒はカワウソ…？

⑩霧の森となぞの声
ふしぎな歌声に導かれ森の奥へ。声にひきこまれ穴に落ちたスキッパー…。

⑪水の精とふしぎなカヌー
るすの部屋にだれかいる…？　川を流れて来た小さなカヌーの持ち主は…？

⑫水の森の秘密
森じゅうが水びたしに……原因を調べに行ったスキッパーたちが会ったのは…？

Another Story
こそあどの森のおとなたちが子どもだったころ
みんなどんな子どもだったんだろう？　５人のおとなそれぞれが語る５つの話。

扉のむこうの物語　●赤い鳥文学賞
学校の倉庫から行也が迷いこんだ世界は空間も時間もねじれていた…。

星モグラ　サンジの伝説　●産経児童出版文化賞推薦
人間のことばをしゃべるモグラが語る、空をとび水にもぐる英雄サンジの物語。